*T*eatro
hispanoamericano
del siglo XX: 1980-2000
(Antología en 3 tomos)

(Tomo I)

Colección Telón

Dirigida por Miguel Ángel Giella y Peter Roster

Máscaras de la portada: @nvtech.com

Theatre masks on the front cover: @nvtech.com

GIROL Books, Inc.
P.O. Box 5473, Station F
Ottawa, Ontario, Canada
K2C 3M1
Tel/Fax (613) 233-9044
Email: info@girol.com

Impreso y hecho en Canadá
Printed & bound in Canada

ISBN 0-919659-65-9

Diseño y tipografía por LAR Typography, Ltd.
Design & typesetting by LAR Typography, Ltd.

Teatro
hispanoamericano
del siglo XX: 1980-2000
(Tomo I)

Roberto Cossa
Yepeto

Sabina Berman
Entre Villa y una mujer desnuda

Antonio Skármeta
Ardiente Paciencia

Edición a cargo de
George Woodyard
(The University of Kansas)

Colección Telón
Antologías, 15

GIROL Books, Inc.
Ottawa, Canada

First Edition, 2003
Primera edición, 2003

ISBN 0-919659-65-9

El teatro hispanoamericano: 1980-2000

Cuando se publicaron en 1979 los tres tomos de *9 dramaturgos hispanoamericanos*..., antología precursora de la presente, Argentina y Chile se encontraban en las garras de dictaduras opresivas, y la caída del muro de Berlín ni siquiera podía soñarse. La América Latina experimentaba una avalancha de creaciones colectivas y Brecht, por sus ideales políticos, era el autor extranjero más montado en el hemisferio. Los autores de la presente colección, con pocas excepciones, recién comenzaban a estrenar. El objetivo de la antología actual es, sin escatimar la importancia de las obras escritas entre los años cuarenta y setenta que se encuentran en la colección anterior, poner más al día estas lecturas con tres nuevos tomos de obras escritas y estrenadas en los ochenta y los noventa. Sobra observar que ha habido grandes cambios durante estas décadas, aunque un elemento constante es la riqueza inigualable del teatro latinoamericano. Osvaldo Pellettieri, el distinguido crítico teatral argentino, ha observado que el teatro es un proceso de continuidad y de cambio. Cada época conserva algo de la anterior, al mismo tiempo que otros creadores están involucrados en buscar nuevos senderos que correspondan a la realidad que ellos perciben. Esta dicotomía caracteriza bien el teatro de estas dos décadas, con toda su gama de matices. Finalizado el siglo XX, la belleza de ciertas piezas imprescindibles reclamaba una nueva colección para redondear la perspectiva.

Si bien los años setenta marcaban una época difícil en Hispanoamérica, por razones que explicaremos a continuación, los años cincuenta y sesenta representaban un "boom" en el desarrollo del teatro. Como se ha indicado, autores como José Triana (Cuba), Osvaldo Dragún y Griselda Gambaro (Argentina), Jorge Díaz y Egon Wolff (Chile), René Marqués (Puerto Rico) y Emilio Carballido (México) exploraban diversas técnicas y temáticas para alcanzar una nueva concepción de la identidad hispanoamericana en todas sus dimensiones. Todos se acercan a la tarea de captar la realidad con un alto sentido de dedicación y compromiso con el arte teatral. Aprovechándose del metateatro y de la historia e indicando en detalle sus preferencias en lo referente a luces, sonidos y escenografía, son autores que señalan sus inquietudes sobre la política y la economía, o simplemente sobre la condición humana, a sus públicos locales o nacionales. Paradójicamente, las obras fácilmente trascienden sus fronteras nacionales por llevar dentro de sí las características de un teatro universal. La época que sigue a la segunda guerra mundial trae consigo cierta estabilidad política y económica en los diferentes países.

La presidencia de Eisenhower durante los cincuenta fomentó la política del "Buen Vecino", iniciada durante la presidencia de Franklin Delano Roosevelt, continuaba durante los años cincuenta para con las distintas repúblicas latinoamericanas y, en términos generales, no se apreciaba una gran intervención por parte de Estados Unidos, salvo algunas excepciones notables (Guatemala, la República Dominicana, etc.). Para Puerto Rico se creó el plan Operación Manos a la Obra con el fin de facilitar el desarrollo económico de la isla. En Cuba la dictadura de Batista atraía un importante tráfico estadounidense (sobre todo drogas, prostitución, y apuestas). Las tensiones entre Estados Unidos y la Unión Soviética seguían desarrollándose, con sus respectivas divisiones partidarias por toda la América Latina.

La gran ruptura viene a principios de 1959 cuando Fidel Castro asume el poder de Cuba y rompe la frágil estabilidad que existía en la zona. Para Estados Unidos, la intervención marxista en Cuba marcó una amenaza intolerable, y la crisis de 1962 entre Kennedy y Krushchev, siguiendo por poco a la construcción del muro de Berlín, señala el comienzo de un largo conflicto, por momentos de gran tensión, entre los dos poderes mundiales. Los efectos sobre los países hispanoamericanos son dramáticos. Hacia finales de los sesenta, dos tendencias importantes dejarán su impronta en el teatro: el desarrollo de la creación colectiva y el impulso que se dará a los festivales internacionales. El año 1968, año de la masacre de Tlatelolco en México, es particularmente significativo: es el año del primer Festival de Manizales (Colombia) y se celebran festivales en Costa Rica, México, Perú y otros países del hemisferio. Si bien se buscaba inspiración dentro de los valores locales o nacionales (en lugar de mirar hacia Europa y Estados Unidos), había también una conscientización del público frente a los problemas socio-económicos y políticos del momento. Si las obras anteriores no satisfacían las nuevas necesidades, los grupos teatrales respondían a estas circunstancias mediante un proceso de creación colectiva, invirtiendo así la jerarquía tradicional del teatro. Los directores, actores y técnicos asumían una responsabilidad colectiva y totalizadora para los montajes. Es una época marcada por una fuerte politización del teatro siguiendo pautas de inspiración marxista. Muchos jóvenes, becados por el gobierno, estudian en la Unión Soviética y regresan a sus respectivos países no sólo hablando ruso u otro idioma eslavo sino empapados en técnicas y temáticas del Este. Es natural que la figura dominante de la época sea Bertolt Brecht con sus conceptos de enajenación, teatro épico y la incorporación de rótulos y música a la puesta. La música, en particular, se adecuaba muy bien a las necesidades de los grupos latinoamericanos que ya tenían una fuerte disposición a integrar la música nacional en sus propios montajes.

Las nueve obras de esta colección abarcan un período de pocos años, de 1984 a 1992. Seis de las nueve obras son de los años 84 u 85, o sea, las fechas proyectadas por el distinguido catedrático de Yale University, José Juan Arrom, en su importante estudio sobre las generaciones literarias de las Américas, como el principio de un nuevo ciclo de ascendencia y originalidad. Las obras seleccionadas aquí representan sólo a cinco países (Argentina, Chile, México, Puerto Rico y Venezuela). Si bien, como ya se señaló, la época anterior se caracteriza por el auge de la creación colectiva (aunque en este momento todavía se sigue desarrollando), se nota una disposición durante estos años a regresar al texto de autor. Señalar, finalmente, que el criterio seguido para seleccionar las obras de esta antología no ha sido por país o nacionalidad, sino por su calidad artística y su interés, sobre todo, para un público universitario. De todas maneras, sería imposible, con sólo nueve obras, intentar representar todos los estilos, temáticas, tendencias y naciones de un teatro tan heterogéneo como lo es el latinoamericano.

Los años recientes representan un período de enormes cambios en Latinoamérica. Los dos países con más actividad teatral siguen siendo Argentina y México, no sólo por el nivel cultural de ambas naciones, sino también por su larga tradición dramática; no obstante, esto no sugiere, bajo ningún aspecto, una escasez de actividad teatral en otras capitales como Santiago de Chile, Caracas, Bogotá, La Habana y San Juan de Puerto Rico. Un fenómeno de creciente importancia es la descentralización del movimiento teatral. Es verdad que en cada instancia, la capital de un país se asocia con el movimiento principal, pero en muchos casos hay una actividad considerable en las provincias, especialmente en México. El acceso a mejores medios de transporte y comunicación, especialmente el desarrollo del internet en años recientes, ha ayudado a promover el teatro en todos los ámbitos posibles. Cuando se combinan estos factores con festivales regionales, nacionales e internacionales en mayor número, se ofrecen más posibilidades para seguir haciendo promoción del teatro latino-americano.

No han sido años fáciles con respecto a la política y a la economía. En Argentina, a partir de 1976, el país se encontró sumergido en una de sus peores épocas, la de la llamada "guerra sucia", o El Proceso (de Reorganización Nacional), como suelen referirse a ella los argentinos. Un evento de singular importancia para el teatro fue el surgimiento de Teatro Abierto en 1981, un experimento organizado por Osvaldo Dragún (1929-1999), junto con otros teatristas, como acto de solidaridad y resistencia frente a la opresión militar. La guerra de las Malvinas aceleró la caída de la dictadura, pero las esperanzas que acompañaban a la restauración de la democracia en 1983 se quedaron frustradas por el colapso económico posterior a la época menemista (2001). Sin embargo, es una época de gran creatividad. Una nueva generación, como la de Daniel Veronese, Rafael Spregelburd y Alejandro Tantanián, entre otros tantos, ha surgido con piezas y montajes novedosos. En su función de co-director del Periférico de Objetos, Veronese ha montado algunas de sus propias piezas, como *Cámara Gesell* o *Circonegro*; y, en el caso de Spregelburd, *Destino de dos cosas o de tres* y *Raspando la cruz*. A veces colaboran todos entre sí, y producen una obra como *La escala humana*. La mayoría de sus puestas pertenecen a la categoría de teatro postmoderno, caracterizado por sus aspectos fragmentarios, sus finales abiertos y un lenguaje paródico. Los directores Rubens Correa, Rubén Szuchmacher y Ricardo Bartís han tenido gran éxito con sus montajes, especialmente Bartís con obras como *Postales argentinas* y *El pecado que no se puede nombrar*, ésta última basada en textos de Roberto Arlt. Varias mujeres encuentran su voz también durante esta época: Laura Yusem como directora de diversas piezas exitosas y un gran número de escritoras como Susana Torres Molina, Lucía Laragione, Susana Gutiérrez Posse, y Cristina Escofet, cuya obra *Te de tías* figura en el tercer tomo de la presente colección. Mientras tanto, los representantes de la generación anterior siguen escribiendo y estrenando: Griselda Gambaro y Eduardo Pavlovsky dentro de sus líneas neo-vanguardistas; Ricardo Halac y Roberto Cossa, siguiendo sus tendencias neo-realistas. La obra *Yepeto* (1987) de Cossa marca un hito importante en la extendida carrera de este dramaturgo que abarca ya cinco décadas. Eduardo Rovner comienza a escribir en los años 70 y su obra *Volvió una noche* ya ha alcanzado fama global al representarse en Estados Unidos, Costa Rica, Israel y la República Checa, entre otros países. A fin de cuentas, los problemas económicos de Argentina en años recientes, en vez de sofocar el movimiento teatral, parece haberlo estimulado.

Al otro lado de la cordillera, Chile sufría, a partir de 1973, las ignominias de la dictadura de Pinochet. Ya para 1978 comenzaron a verse las primeras señas de resistencia teatral en las obras de Marco Antonio de la Parra, del ICTUS y otros dramaturgos y grupos. Aunque *Lo crudo, lo cocido y lo podrido* (de De la Parra) tuvo que suspenderse el día antes de su estreno en la Universidad Católica, marcó el primer paso en el largo camino por recobrar la libertad de expresión dentro de un teatro que se encontraba bajo estado de sitio. Si bien a mediados de los 80 la situación había mejorado mucho, la caída de la dictadura recién se produce hacia finales de la década. Lo que queda evidente más tarde es el impacto que estos años de represión y crueldad han tenido sobre el pueblo chileno. Los casos de desaparecidos y tortura, manifestados en una película como *Missing* o una pieza teatral como *La muerte y la doncella* de Ariel Dorfman, indican la trascendencia que la situación política tuvo a nivel mundial. En años recientes, la generación anterior continúa activa en Chile, con autores de reconocimiento internacional que siguen produciendo obras, como Egon Wolff o Jorge Díaz; éste último de regreso de Madrid desde mediados de los noventa. A los nombres de mujeres importantes como Isidora Aguirre y María Asunción Requena, hay que agregar el de M. Inés Stranger, cuyo texto, *Malinche*, de 1993, da expresión a una variada temática de inquietudes femeninas. Juan Radrigán sigue siendo la voz estridente que denuncia los abusos sociales; al igual que Luis Rivano. Se encuentran directores con una nueva visión de la realidad chilena, como es el caso de Ramón Griffero; o la del recién desaparecido director Andrés Pérez, cuyo montaje de *La Negra Ester*, estrenada a finales de 1988, batía records de taquilla[1]. Su mensaje llegaba al alma chilena por los sentimientos de pérdida y ruptura de los sueños e ideales del pasado. Si bien los años 90 ofrecen un nuevo grupo de escritores, entre ellos Benjamín Galemiri con su destacado talento creador, las obras chilenas que aparecen en esta colección son de los años 80. Siguiendo en la tradición de ocupar puestos diplomáticos, establecida por su compatriota Pablo Neruda, Antonio Skármeta combina en su obra la vida del gran vate, Premio Nobel de Literatura, con el ambiente opresivo de la dictadura. El individuo que maneja una producción constante a lo largo de estos años, el más prolífico, es, sin lugar a dudas, Marco Antonio de la Parra, cuya obra, *La secreta obscenidad de cada día*, abre un nuevo nivel de discurso sobre los grandes sistemas ideológicos dentro de un estado terrorista.

Al igual que Argentina, el otro país con un movimiento teatral bien desarrollado es México. En 1994 se firmó el Tratado de Libre

Comercio con Estados Unidos y Canadá, un convenio económico con ventajas dudosas todavía para México. A pesar de la crisis económica que sigue al sexenio del presidente Salinas de Gortari, el teatro continúa siendo un fenómeno de gran diversidad y fuerza. Somos conscientes de que una obra tan excepcional como *Entre Villa y una mujer desnuda*, incluida en el primer tomo de esta colección, no puede pretender representar la riqueza del teatro mexicano en su totalidad. Como se ha visto en el caso de los otros países, diferentes generaciones funcionan simultáneamente. El incomparable Emilio Carballido estrena regularmente con la misma tendencia ecléctica que ha manifestado durante cinco décadas, junto con sus contemporáneos Luisa Josefina Hernández y Héctor Mendoza. A mediados de los noventa Vicente Leñero decide renunciar al teatro después de muchos años, aunque su obra *Qué pronto se hace tarde* seguía atrayendo público. De la llamada "generación perdida", entre los que logran estrenar regularmente se encuentran, Tomás Espinosa, Miguel Ángel Tenorio, Carlos Olmos y Víctor Hugo Rascón Banda. Tal como ocurre en otros países, la época está marcada por la intervención de muchas escritoras. Además de la ya citada Sabina Berman, hay que mencionar a María Muro, María Elena Aura, Estela Leñero, Carmen Boullosa y Silvia Peláez. Un fenómeno particular en el caso mexicano es la obra unipersonal, satírica, provocante, hiriente, desarrollada por Astrid Hadad y Jesusa Rodríguez. Entre los directores más reconocidos se encuentran Enrique Pineda, Luis de Tavira, Ludwig Margules, Xavier Rojas y Philippe Amand. El teatro mexicano ofrece infinitas posibilidades en el D.F., y es notable el desarrollo del teatro en otras regiones del país como en Durango (Enrique Mijares), Tijuana (Hugo Salcedo) o Guadalajara (Guillermo Schmidhuber).

La temática del teatro puertorriqueño se bifurca en dos tendencias principales: una en la que se enfatiza la isla y otra que hace hincapié en lo continental; las dos son igualmente viables. La cuestión de su estatus político, es decir, la querella entre los que buscan llegar a ser un estado de los Estados Unidos, los que ansían la independencia y los que prefieren quedarse como Estado Libre Asociado, ha dominado la política durante la segunda mitad del siglo XX; y los problemas económicos y culturales relacionados con el imperialismo estadounidense influyen en todas las decisiones. La muerte de René Marqués en 1979 dejó un vacío enorme, más tarde llenado por Roberto Ramos-Perea y José Luis Ramos Escobar. Los dos, en sus propios ambientes, es decir, el Instituto de Cultura Puertorriqueña y la Universidad de Puerto Rico, respectivamente, han encabezado el desarrollo del teatro de la isla por medio de sus obras, sus montajes, sus talleres y sus actividades. En años recientes, mientras se ha seguido montando a autores del pasado como René Marqués, Manuel Méndez Ballester y Emilio S. Belaval, ha florecido una nueva generación de dramaturgos, la de Juan González Bonilla y Carlos Canales. Entre los grupos más activos se encuentran Teatro de Sesenta, Producciones Cisnes, Tablado Puertorriqueño y, en una promoción más reciente, Agua, Sol y Serena. A Myrna Casas, cuya obra *El gran circo eukraniano* figura en el Tomo II de esta colección, y cuya carrera teatral parte de los años 50 en sus funciones como actriz, dramaturga, directora y profesora, le sigue una nueva generación de mujeres teatristas —Aleyda Morales, Alina Marrero y Teresa Marichal, entre otras. La otra gran figura del mundo literario, Luis Rafael Sánchez, cuya obra *Quíntuples* también figura en esta antología, es conocido, además, como novelista y cuentista. En Nueva York, una muestra de la actividad puertorriqueña es el Teatro Rodante Puertorriqueño, dirigido por Miriam Colón, quien, durante años, no sólo ha mantenido una sede permanente, sino que, además, ha llevado los espectáculos —dirigidos en especial para un público estudiantil— a las afueras de la gran metrópoli.

El teatro latino en Estados Unidos es otro fenómeno de singular importancia, aunque no haya sido incluido en esta colección. El teatro impulsado por Luis Valdez mientras ayudaba a César Chávez en los campos de California, produce la primera conscientización del teatro chicano para un público más amplio. Los inicios de este movimiento teatral coinciden con la defensa de los derechos civiles en Estados Unidos durante los años sesenta, y marcan el comienzo de una nueva era de actividad que recorre todo el país en poco tiempo. En su momento de máximo auge existían alrededor de cien grupos de teatro chicano; sin embargo, en la actualidad, el número es más reducido. Los tres centros más importantes son los que se encuentran en el estado de California, en Miami y en Nueva York, aunque, en realidad, se trata de un fenómeno que se extiende a lo largo y a lo ancho de los Estados Unidos. Muchos de ellos están bien establecidos, como el Repertorio Español e INTAR de Nueva York, Teatro Avante y Prometeo de Miami, Teatro Campesino y Teatro de la Esperanza en California, por nombrar unos pocos, si bien se hallan otros, igualmente dedicados a su labor teatral, en Denver, Dallas y Atlanta.

No es la intención de este prólogo presentar una visión panorámica de todo el teatro hispanoamericano ya sea dentro o fuera de Estados Unidos. Sobra decir que, a pesar de los problemas políticos, económicos y sociales, el teatro parece florecer debido precisamente a los mismos problemas que pudieran restringirlo. Es decir, enfrentado con la adversidad, el teatro, muchas veces, llega a ser uno de los vehículos más señalados para exponer los vicios de la sociedad, o para animar al público a seguir en la lucha. Y esto no se aplica solamente al teatro convencional de sala sino también, y de forma especial, al teatro popular, que ha experimentado un gran desarrollo en estos años y que se encuentra, por lo general, en la calle, el parque u otro espacio público. Aunque el teatro callejero se viene manifestando en casi todos los países, su presencia ha sido particularmente fuerte en el Caribe y en la zona andina. Y en los Andes también existen algunos de los grupos más destacados de toda la América Latina: en el Perú, Yuyachkani (Miguel Rubio), en Ecuador, el teatro Malayerba (Arístides Vargas), en Bolivia, el Teatro de los Andes (César Brie), y en Colombia, la Candelaria (Santiago García). Todos ellos son grupos bien desarrollados y estables, frecuentes participantes en los festivales de teatro internacional.

Es indudable que el fenómeno de los festivales internacionales ha contribuido a realzar la presencia del teatro latinoamericano en todas partes del mundo. Efectivamente, la participación de compañías teatrales extranjeras en los grandes festivales, como los de Manizales y Bogotá (Colombia), el de Caracas (Venezuela), el de Cádiz (España) o el de Porto (Portugal), entre otros muchos, siempre tiene un saldo positivo, ya que permite el intercambio de experiencias entre los grupos y a poner a prueba sus diferentes técnicas y temáticas ante el público asistente al evento.

La naturaleza efímera del teatro ha dificultado, en gran parte, el ingreso de muchos jóvenes a escuelas e instituciones donde se lo enseña. Es difícil vivir del teatro, y en muchos casos los principiantes, y a veces aquéllos ya establecidos, tienen que ganarse la vida trabajando en otras profesiones. Los hay, los pocos afortunados, que ganan lo suficiente como para vivir de los ingresos que el teatro les proporciona —autores, directores, actores, técnicos— pero, en general, resulta bastante arduo. Cuba ha sido el estado que más ha apoyado al teatro, pero, con el colapso del sistema soviético, aun este apoyo ha bajado mucho. Sin embargo, en más de un caso, el teatro es parte inmanente a la vida cultural de un pueblo y resultaría difícil imaginar su ausencia. Esto es verdad, sobre todo en países como México y Argentina donde en cualquier fin de semana, uno fácilmente encuentra más de cien espectáculos en cartelera.

Al desarrollo del teatro en estos años han colaborado de forma evidente, la publicación de textos, los libros de crítica y las revistas especializadas. En esta última categoría se encuentran tanto aquellas revistas pioneras en el campo teatral como las más recientes: *Primer Acto* (Madrid), *Apuntes* (Chile), *Conjunto* y *Tablas* (Cuba), *Teatro XXI* (Argentina), *Latin American Theatre Review* y *Gestos* (USA). En Estados Unidos el teatro latinoamericano es reconocido como un campo de investigación académico y en las mejores universidades se dictan cursos de una manera regular. La bibliografía de libros de crítica es asombrosa, igual que el número de antologías y colecciones especializadas.

Es cierto que estos años marcan una época de continuidad y de cambio: se encuentran textos basados en elementos del pasado, sacados de la historia, del folklore, de los mitos, de la música y de las tradiciones nacionales. Al mismo tiempo, los autores (los directores y los grupos) son bastante eclécticos, siempre a la búsqueda de nuevas técnicas, muchas veces ambiciosas, para captar y transmitir la realidad que perciben. La influencia de teatristas y autores europeos como Eugenio Barba o Heiner Müller es equiparable a la anterior de Antoine Artaud, Bertold Brecht o Jerzy Grotowski, pero filtrada por una perspectiva latinoamericana, que varía desde la indagación en las relaciones humanas hasta nuevas concepciones de la historia. En esta época postmodernista se ven marcadas preferencias por la ambigüedad deliberada de los roles genéricos (masculino y femenino), y la homosexualidad ha encontrado su libre expresión en una nueva categoría de teatro gay. También los autores han vuelto a evaluar la historia, con la intención de desmitificar a los héroes del pasado o a los contemporáneos; por otro lado, se aprovecha de una gran variedad de técnicas, incluyendo la parodia, el kitsch y el pastiche. Se incorporan aspectos de multi-media en los montajes, mezclando géneros literarios y valiéndose del cine, de las proyecciones y de las computadoras. En contraste con las tendencias anteriores de ofrecer al público o al lector una solución a la problemática presentada a través de la obra, es intencional el concepto del final abierto, obligando así al participante a extraer sus propias conclusiones. A fin de cuentas, es bastante común la fragmentación de la trama, la estructura y el personaje, o sea, los tres elementos primordiales de una pieza teatral.

Los escritores que figuran en esta colección son autores consagrados en el teatro. Además, muchos de ellos manejan por igual la poesía y la narrativa. No se trata de dramaturgos noveles, miembros de la generación más reciente. Son más bien autores con años de experiencia y decenas de obras escritas y estrenadas. Y, aun más importante, las piezas incluidas en la presente antología, son reconocidas como las obras canónicas del teatro latinoamericano de nuestra era. Uno puede augurar con entusiasmo y cierta confianza que nos encontramos ante un conjunto de textos dramáticos capaces de trascender las limitaciones del tiempo y del espacio.

GEORGE WOODYARD
THE UNIVERSITY OF KANSAS

[1] Se calcula que más de 700.000 personas vieron *La negra Ester*, está considerada la obra más popular en la historia del teatro chileno después de *La pérgola de las flores*.

Roberto Cossa
Yepeto

Se podría decir que Roberto Cossa es la figura central de la generación teatral de mediados del siglo XX en la Argentina, la generación llamada "del 54" por José Juan Arrom. Nacido en una familia porteña con un fuerte sentido de los valores familiares, en un barrio étnicamente mezclado de Villa del Parque, Cossa comenzó estudios de medicina pero dejó el programa después de un año. La familia se mudó a San Isidro donde él se unió a un grupo local de teatro, el Teatro Independiente de San Isidro. Actuó y dirigió hasta darse cuenta de que su verdadera afición para el teatro se encontraba en escribir. Durante casi 40 años se ha dedicado al campo teatral. Él mismo ha dicho que "me gustaría que me recordasen como un autor cuyos textos ayudaron a comprender nuestra realidad y nuestra irrealidad" (Poujol, 51).

Bajo la influencia especial de Arthur Miller y Antón Chejov, Cossa comenzó escribiendo piezas que ponían de manifiesto sus inquietudes sobre la vida y la sociedad de su país. En particular, le preocupaba la naturaleza errática de sus compatriotas y su aparente incapacidad de gobernarse. A finales de la Segunda Guerra Mundial, Argentina, en buenas condiciones económicas, parecía bien orientada para figurar entre las naciones más ricas y poderosas del mundo. Desafortunadamente la trayectoria ha sido otra, con la caída del sistema económico en 2002 y las graves consecuencias de este hecho para su población.

Las obras de Roberto Cossa reflejan la problemática producida por las grandes oleadas de inmigrantes, entre ellos sus propios ancestros italianos. Con la inmigración hubo dos factores fundamentales: uno fue la tendencia a pensar en el regreso "previa fortuna hecha en América" a la tierra nativa (es decir, a Europa); el otro fue el crecimiento económico posible donde el acceso relativamente fácil a puestos profesionales (médicos, abogados, ingenieros, etc.) creó la ilusión de una sostenible prosperidad. Como resultado, los personajes de Cossa muchas veces intentan disfrazar o evitar la realidad que los incomoda. Son, francamente, personajes mediocres; lección bien aprendida de *Muerte de un viajante* de Arthur Miller.

En 1964 Cossa estrena *Nuestro fin de semana*, primera obra que prefigura los parámetros de todo su teatro realista. Los personajes de esta pieza, que son muy creíbles, revelan, durante un fin de semana supuestamente feliz en el campo, su angustia, frustración y desesperanza frente a la inseguridad económica de su época, la limitación sobre sus oportunidades, y la añoranza de tiempos anteriores más seguros. La pieza fue un éxito instantáneo e indicó el tremendo talento de este joven escritor que percibía la gran dicotomía entre las esperanzas de generaciones anteriores en contraste con la realidad agobiante del momento. Durante la década Cossa sigue estrenando: *Los días de Julián Bisbal* y *La ñata contra el libro* en 1966, y *La pata de la sota* en 1967.

Creemos no equivocarnos al afirmar que, si la década de los sesenta en Argentina fue mala, lo que pasó en los 70 fue peor. En 1970 Cossa colabora con Germán Rozenmacher, Carlos Somigliana y Ricardo Talesnik en la composición de *El avión negro*. Esta pieza anticipa el regreso de Juan Perón, en 1973, de su exilio en España, proyectando "un nuevo 17" para celebrar el día de la toma del poder por parte del entonces coronel en 1945.[1] Aprovechándose de técnicas episódicas, los cuatro autores presentan doce secuencias con una gran variedad de facciones peronistas: la burguesía materialista, los profesionales reaccionarios, los clérigos retóricos, los revolucionarios antiguos. El regreso de Perón en 1973 resultó desastroso; al año siguiente muere de cáncer, y su esposa y vice-presidente, Isabel Martínez (Isabelita), se ve obligada a asumir el poder. El deterioro de las condiciones civiles es la excusa de la que se valdrán los militares para justificar un golpe de estado en 1976, tras el que se impone un régimen de terror en Argentina. Esta época de la llamada "Guerra Sucia", (o el "Proceso" (de Reorganización Nacional), como la llaman los argentinos), deja un saldo de treinta mil muertos o desaparecidos, así como cicatrices profundas en la conciencia de la nación.

En 1977 Cossa escribe *La nona*, tal vez su obra más representada y mejor conocida, sobre una anciana (una abuela de 100 años) que come todo lo que encuentra a su alrededor. Como representación metafórica de una sociedad venida a menos, La Nona, con su apetito voraz, significa la aniquilación de todo; la familia, en lugar de buscar soluciones realistas, se refugia en evasivas. Al final, queda sólo La Nona, tan exigente como siempre, mientras que los demás se han ido o se han muerto. La obra se vale de las técnicas de lo grotesco y del absurdo teñido de humor negro. Cuando Eduardo Rovner en el año 2001 preparó una versión musical, Osvaldo Quiroga, un comentarista de televisión (canal 7) observó: "Si quiere saber lo que pasa en la Argentina, vaya a ver *La nona*".

En los años 80, el teatro de Cossa entra en una nueva fase con obras más abiertamente políticas. El experimento de Teatro Abierto

1981, impulsado por Osvaldo Dragún y el mismo Cossa como un acto contestatario al poder militar, presentó 21 obras de diferentes autores. La pieza de Cossa fue *Gris de ausencia* con su temática de la diáspora argentina contada en clave de humor aunque con tintes patéticos. El mensaje implícito es que las vicisitudes del sistema político-económico de Argentina son la principal causa de la fragmentación del núcleo familiar. En pocos años Cossa escribe *Ya nadie recuerda a Frederic Chopin, El tío loco* y *De pies y manos*. Su pieza *Yepeto*, que comentaremos a continuación, es de 1987. De la misma época son *El sur y después, Angelito* y *Los compadritos*. Ésta última es una pieza basada en un episodio histórico de 1939 cuando se hundió el submarino alemán Graf Spee cerca de la costa uruguaya. La interacción de los rioplatenses con dos sobrevivientes alemanes ayuda a documentar una visión de oportunismo social y político. Todos los personajes se ven dispuestos a renunciar a sus principios morales por cualquier ventaja materialista o psicológica que puedan adquirir. Esta versión dramática de un episodio histórico muestra la actitud crítica de Cossa frente a cuestiones que ponen en duda la integridad del individuo en sociedad. De la misma década es una nueva adaptación del *Tartuffe* de Molière, una versión hecha con ciertas libertades poéticas. Las implicaciones metafóricas de hipocresía, codicia y falsedad logran trascender tiempo y espacio para dejar huellas del sufrimiento humano, dondequiera que ocurran.

En los años noventa Cossa mantiene su ritmo normal de producción. De 1993 es *Lejos de aquí*, una obra escrita en colaboración con Mauricio Kartun con resonancias de *Gris de ausencia*. La idea básica tiene cierto sentido de frustración y marginalidad que se manifiesta entre los cinco personajes que dramatizan sus frustraciones y sus fantasías sobre otros tiempos y espacios. Del año siguiente es *Viejos conocidos*, otra pieza en tono político pero con un nuevo lenguaje que linda a veces con lo surreal. Partiendo de la época del presidente Rivadavia y enfocando la problemática de los latifundistas cuyos intereses distorsionaron el proceso político y económico de Argentina, la pieza testimonia la originalidad de Cossa en buscar siempre nuevas fórmulas para interpretar el pasado. Al final de la década, *El saludador*, cuyo personaje central es un viajante oportunista que después de múltiples viajes regresa a casa cada vez más mutilado, permite otra perspectiva sobre las lacras en la sociedad argentina.

Cossa sigue tan involucrado como siempre en el ámbito teatral de su querido Buenos Aires, donde se aprovecha de cada oportunidad para exponer los vicios del sistema. Sus piezas dejan al lector/espectador con la impresión innegable que sus correligionarios son incapaces de crear un sistema de gobierno que sirva al bienestar general debido a su hipocresía, a la corrupción y por anteponer sus propios intereses a los del país. Las situaciones iniciales que crea Cossa son mayormente realistas, lo cual no impide que en ellas aparezcan rupturas espaciales y temporales ni que tengan brotes de cierto humor negro. Escribe sobre lo que él conoce más íntimamente, es decir, el estilo de vida porteño de la clase media con todo su apego al tango, en un ambiente en el que se come y se bebe en exceso. En casi todas las piezas el lector percibe un gran sentido de nostalgia por un tiempo pasado que fue mejor, y, al mismo tiempo, un gran sentido de frustración por lo que es Argentina en contraste con lo que pudo haber sido.

Respecto a la obra incluida en este tomo, *Yepeto*, sin ser una de sus obras más abiertamente políticas, tiene que ser considerada su obra más compleja hasta ahora. Se presenta aquí un caso intrigante de intertextualidad literaria con un enfoque en las interrelaciones del arte, la música, la literatura y el teatro. El título mismo hace eco de la novela *Pinocchio* del escritor italiano del siglo XIX, Carlo Lorenzini, alias Collodi. Basada en la fórmula antigua del triángulo amoroso, la pieza se centra en la competencia de dos hombres por el amor de una mujer. Un estudiante joven y atleta, Antonio, acusa al profesor cincuentón de seducir a su amante, quien es a la vez estudiante del profesor. Cecilia nunca aparece aunque es la catalizadora de la acción. Lo complicado de la historia es que el profesor también escribe una novela sobre una mujer joven que está involucrada en un triángulo amoroso, que se siente atraída intelectualmente a su tutor y físicamente a un joven teniente de los húsares. Dentro de la novela aparecen referencias a otros triángulos famosos: Otello, Desdémona y Yago de Shakespeare así como Jean Valjean, Cosette y Mario, de Victor Hugo. Al final, el profesor comenta con gran sarcasmo, "Me cago en la literatura", una indicación de su desesperación en crear una historia o en identificar una relación feliz para sí mismo.

La figura ausente, una técnica bien establecida en el teatro argentino[2], es clave a la obra y confirma los conceptos del poder. Cecilia funciona como títere entre los dos hombres, a veces una víctima de sus deseos eróticos, a veces una manipuladora de la fórmula. Hay que desconstruir lo que dicen los dos sobre ella, porque ella existe sólo como proyección de sus personalidades. Los cambios internos de tono y perspectiva dan cauce al ritmo de la pieza hacia un *pas de deux* dramático. Cuando al profesor se lo identifica con "Gepeto", el titiritero/creador, se siente vulnerable frente a los insultos de Antonio. Para el profesor es la ignominia completa, que indica que lo creado ha alcanzado el mismo nivel que el creador.

En su totalidad la pieza presenta la imagen de un hombre desilusionado por los años, que ve menguada su capacidad como escritor, amante y ser humano. La insistencia en la juventud, que para él es igual a la creatividad, es la clave de su angustia. A lo largo de la pieza, el concepto central es el control. El profesor intenta controlar sus creaciones, es decir, a Cecilia, y hasta cierto punto a Antonio. El control, o la falta de control, motiva la obra, dándole dimensiones sociales semejantes a las que se ven en el Pinocchio original. Las referencias ocasionales a las Malvinas sólo subrayan la importancia del control que ejerce una sociedad[3]. Una de las aportaciones de esta pieza es la sutileza con la que Cossa maneja la construcción intertextual para comentar problemas fundamentalmente humanos mientras alude a la situación socio-política de Argentina. Por la riqueza extraordinaria de sus múltiples y complicadas facetas, *Yepeto* merece considerarse una de las obras maestras de Roberto Cossa.

[1] El 17 de octubre de 1945 se produjo en Buenos Aires un importante fenómeno social ya que se congregaron en la Plaza de Mayo un amplio sector de la ciudadanía para exigir a las autoridades argentinas la libertad de Juan D. Perón que se encontraba arrestado en la isla Martín García.

[2] Uno piensa inmediatamente en *El señor Galíndez* (1973), una obra de Eduardo Pavlovsky, en la que la figura de Galíndez, aunque todopoderosa, nunca aparece en escena.

[3] Cuando los generales argentinos sintieron que no podían controlar la situación del país en 1982, invadieron las Islas Malvinas como táctica de distracción. No anticiparon, obviamente, la reacción rápida y fatal, por parte del Reino Unido.

ROBERTO COSSA

YEPETO

Personajes

Profesor
Antonio

≈ ～ ≈

Yepeto se estrenó en Buenos Aires el 2 de octubre de 1987 en el Teatro Lorange con el siguiente reparto:

Profesor	Ulises Dumont
Antonio	Darío Grandinetti
Mujer	Gabriela Flores
Música	Jorge Valcárcel
Escenografía	Marcela Polischer
Asistencia	Tito Otero
Dirección	Omar Grasso

(La acción transcurre, alternativamente, en el departamento del Profesor *y en un bar cualquiera de Buenos Aires. Pero los ámbitos están apenas sugeridos. Para el departamento del* Profesor *basta una cama y una mesita de luz cargada de cajas y frascos de remedios. Hay, además, una pequeña biblioteca y libros desparramados por la cama y el suelo. El bar está indicado por una mesa redonda y dos sillas "Thonet", lo que indica que se trata de uno de los pocos cafés antiguos que superviven en la ciudad.*

Los pocos elementos pueden servir para uno y otro ambiente, de acuerdo con las necesidades de los personajes.

Cuando las luces conectan al espectador con el escenario están los dos personajes en actitud diametralmente opuesta.

El Profesor *es un hombre de algo más de cincuenta años. No es necesario que tenga la clásica figura del intelectual. Más bien parece un tipo de barrio y —quizás— un ex futbolista.*

Físicamente representa la edad que tiene pero cuando habla y actúa parece unos años menor. Está tirado en la cama, escribiendo a mano en un cuaderno, con sus anteojitos para ver de cerca calados en la punta de la nariz.

Antonio *está sentado en la mesa del bar bebiendo continuamente ginebra. Es un joven de veinte años que está a punto de explotar. Viste un atuendo deportivo y a sus pies descansa un bolso ajado por el uso. Tiene un rostro sensible e inteligente, pero con una expresión que, a primera vista, hace presumir un tipo violento. En realidad, no es más que un chico acorralado, con una gran irritación.*

Durante un instante, el espectador tendrá ante sí estas dos imágenes contrapuestas.

Hasta que el Profesor, *luego de leer lo que está escribiendo dice, para sí:)*

Profesor—Que el tutor esté enamorado de Julio, está claro... Ella es muy joven... hermosa... ¿Pero qué es lo que a Julia le atrae del tutor? ¿Nada más que la inteligencia? Desea físicamente al teniente de húsares, pero se siente atraída intelectualmente por el viejo tutor. *(Piensa.)* Es muy convencional.

(Arranca la hoja, la estruja y la tira al suelo. Vuelve a escribir.
Antonio, *ajeno al* Profesor, *ha estado bebiendo hasta que estalla.)*

Antonio—*(Con violencia contenida.)* ¡Déjela tranquila a Cecilia, viejo degenerado! ¡O le rompo el alma a patadas!

(El Profesor *—destinatario de la agresión— deja de escribir, se quita los anteojos y dice tranquilamente.)*

PROFESOR—Me parece una conversación desagradable.

(En toda la escena siguiente el PROFESOR se levanta de la cama y practicará todas las acciones de quien se prepara para salir.)

ANTONIO—¿Por qué le dice las cosas que le dice?

PROFESOR—*(Mientras se cepilla los dientes.)* No quiero mantener una conversación en ese tono. Si querés hablar, hablamos. Dijiste que querías hablar conmigo.

(Mientras el PROFESOR continúa con sus preparativos ANTONIO lo observa.)

ANTONIO—*(Con tono de comprobación.)* ¡Es un viejo! Cecilia me dijo: "es un hombre grande". Pero es un viejo.

PROFESOR—Depende para qué. A mi edad Thomas Mann escribió *La montaña mágica*. Goya pintó "Los Fusilamientos" y Tchaikovsky compuso la sinfonía *Patética*. Y Bach tuvo hijos. Así que para *eso* también estoy en edad.

(El PROFESOR está en calzoncillos, poniéndose los pantalones. ANTONIO vuelve a observarlo.)

ANTONIO—No la entiendo a Cecilia... Se puede ser viejo, pero tener pinta.

PROFESOR—Nunca recibí tantos elogios juntos. Viejo y viejo de mierda al mismo tiempo.

(El PROFESOR seguirá vistiéndose.)

ANTONIO—¿Pero no se da cuenta que es una nena?

PROFESOR—Supongo que si está en la universidad, es mayorcita. La ley me protege.

ANTONIO—¡Tiene diecisiete años! Y usted lo sabe. Ella se lo dijo el día que se fueron a caminar por los bosques de Palermo.

PROFESOR—¿Por los bosques de Palermo?

ANTONIO—Usted le preguntó: "¿qué edad tenés? Ella le dijo: "diecisiete". Y usted le dijo: "¿No te da vergüenza?" A ella le pareció muy gracioso.

PROFESOR—Tener diecisiete años es casi una obscenidad.

ANTONIO—*(Amenazante.)* ¡Lo único que le digo es que la deje tranquila!

PROFESOR—¡Bueno, basta! Cuando me llamaste por teléfono dijiste que querías hablar conmigo. ¡Hablar!

ANTONIO—¿Sabe de qué tengo ganas ahora? ¡De pegarle una trompada!

PROFESOR—¿Y por qué no me pegás?

ANTONIO—Porque es un viejo.

PROFESOR—Eso es una ventaja. Espero que el año que viene ya me empiecen a dar el asiento en los colectivos.

ANTONIO—¿La va a dejar tranquila?

PROFESOR—Insisto en que se trata de una conversación desagradable. Cecilia es una alumna que tiene ganas de charlar con su profesor. Eso es todo. ¡Pero, de pronto, aparece Otelo dispuesto a clavar su daga en el cuello de un inocente que sólo desea que Desdémona entienda, de una vez por todas, que la literatura es un arte cuyo único secreto está en que la palabra alcance la estatura de la imagen! Entre paréntesis... ¿Sabés quiénes fueron Otelo, Yago y Desdémona?

(ANTONIO se toma su tiempo para decir.)

ANTONIO—Usted se la quiere coger.

PROFESOR—*(Después de recibir el impacto, recupera su humor.)* ¡Ah, por supuesto! ¿Qué hombre de mi edad, con sus hormonas en condiciones, rechazaría acostarse con una joven de diecisiete años? Yo tengo seis cursos... En total... *(Calcula.)* Más de sesenta mujercitas menores de veinte años. Te diré que, salvo tres o cuatro, no rechazaría a ninguna.

ANTONIO—¡Usted es un viejo degenerado!

PROFESOR—*(Mantiene su tono burlón.)* ¡Pero con algunos principios! *(Cambia el tono, para demostrar que habla en serio.)* Jamás me acuesto con mis alumnas. *(Recupera su estilo irónico.)* Ahora... una vez que se gradúan... Conozco el caso de algunas alumnas que terminaron su carrera con el único propósito de conocer mi cama. ¡No sabés lo que es mi casa la semana siguiente a la finalización de los cursos! ¡Un desfile! *(A partir de aquí mimará el relato.)* Suena el timbre... ¿Señorita? "Soy licenciada en letras". ¿Su diploma? ¡Muy bien! ¡A la cama! *(Le habla confidencialmente.)* Es más... Yo reprobé a Simone De Beauvoir porque pensé... "Esta vieja fulera estudia letras para poder acostarse conmigo". ¿Sabés quién fue Simone De Beauvoir?

ANTONIO—No.

PROFESOR—Lo lamento. Te perdiste un buen chiste.

(El PROFESOR se sigue preparando para salir. ANTONIO no deja de mirarlo.)

ANTONIO—En la foto parecía más joven.

PROFESOR—¿Qué foto?

ANTONIO—La que salió en el diario.

PROFESOR—*(Simula no recordar.)* ¿Qué diario?

ANTONIO—La vez pasada... ¡Que se hablaba de usted! Cecilia me la mostró.

PROFESOR—*(Miente.)* ¿En el diario...?

ANTONIO—Recortó el artículo y lo lleva en el cuaderno. Se la pasa mirando su foto.

PROFESOR—¿Pero qué foto?

ANTONIO—Ésta. *(Señala una foto pegada en la pared.)*

PROFESOR—¡Ah...! ¡Pobre Cecilia! Cree en el prestigio de los suplementos literarios. Es muy ingenua.

ANTONIO—Cuando vi la foto se lo dije. No es tan viejo.

PROFESOR—Es una foto de archivo. En esa época todavía no me orinaba encima. Y tenía más pelo.

(Se hace una pausa. El PROFESOR *toma un remedio y se sirve una taza de té.* ANTONIO *sigue bebiendo ginebra. Al final dice:)*

ANTONIO—Cecilia dice siempre que usted es muy seductor. No la entiendo.

PROFESOR—Ah... No pretendas entender nunca a una mujer. No lo vas a conseguir. Mi primera esposa me dijo un día: "quiero tomar un helado en Plaza Francia". Yo no tenía muchas ganas, pero... ¡bue! Fuimos a tomar un helado en Plaza Francia. Estábamos tomando el helado y, de pronto, se puso a llorar. "¿Pero qué te pasa? ¿Por qué llorás?" "Porque vos no me comprendés". "¿Pero, por qué? ¿Qué te hice?" "¿Cómo no te diste cuenta que lo que yo quería era tomar un café en San Telmo?" Nos separamos, por supuesto. Mi segunda mujer, me dijo un día... "Quiero tomar un helado en Plaza Francia". A esa altura, te imaginás, yo era un hombre de experiencia. Le dije: "Bueno". Agarré el auto y... *(Hace gesto de andar.)* Cuando vio que cruzábamos Independencia se empezó a poner inquieta. "¿A dónde me llevás?" "Esto no es Plaza Francia". *(Compone a un duro.)* "Yo sé lo que a vos te gusta". La bajé del auto a cachetazos y la metí en un bar de San Telmo. Pedí dos cafés. Ella empezó a tirar sillas contra la pared... rompió dos espejos... arañó a cuatro mozos, mientras gritaba: "¡Quiero tomar un helado en Plaza Francia!" Así terminó mi segundo matrimonio... Con las mujeres hay dos momentos maravillosos: el primero cuando las tenés encima y el segundo cuando te las sacás de encima.

(Coloca la taza de té sobre la mesa y se sienta frente a Antonio *que sigue muy tenso y bebe con ansiedad.)* Calmate.

Antonio—*(Se afloja.)* Quiero pedirle perdón por lo que le dije.

Profesor—A mi edad, "viejo degenerado" suena casi a un elogio. No hubiera soportado que me dijeras viejo aburrido. *(Pausa.)*

Profesor—¿Cómo te llamás?

Antonio—Antonio.

Profesor—Como Machado.

Antonio—¿Como quién?

(El Profesor *sonríe irónicamente,* Antonio *registra el gesto y reacciona agresivo:)*

Antonio—No. Como Alzamendi.

Profesor—¿El puntero de River...? ¿El uruguayo? A mí me gustaba cuando jugaba en Independiente, pero ya no tiene la misma velocidad de antes.

*(*Antonio *recibe el impacto. No esperaba que este intelectual supiera también de fútbol. El* Profesor *lo advierte y dirá con la misma pedantería.)* ¿Qué te extraña? Siempre les digo a mis alumnos que vean fútbol. Es un espectáculo hermoso. *(*Antonio *no responde.)* Hay un tiempo para Shakespeare... otro tiempo para Bach... y otro para Pelé. ¿Sabés quién era Pelé?

Antonio—No me cargue más.

Profesor—La vez pasada dije en una clase que el mayor placer que puede vivir el hombre contemporáneo es ver el gol que Maradona le hizo a los ingleses... Pero las cien mil personas no gritan "gol". Corean, armónicamente, el Canto a la Alegría de la novena sinfonía de Beethoven. *(Corea la novena sinfonía diciendo gol, gol, gol.)* ¡Un orgasmo intelectual!

(El Profesor, *muy satisfecho consigo mismo, saca una cápsula y la bebe con el té.* Antonio *no le saca los ojos de encima, hasta que dice:)*

Antonio—¿La va a dejar tranquila?

Profesor—¿Qué querés decir?

Antonio—*(Se altera.)* Que no la joda. Que no la busque más. Que no la lleve a pasear por los bosques de Palermo.

PROFESOR—¡Y dale con los bosques de Palermo! ¿Acaso Sócrates no le enseñaba a sus alumnos caminando por los jardines de Atenas?

ANTONIO—Eso es lo que usted le dijo para llevársela a los bosques de Palermo.

(El PROFESOR queda descolocado, pero mantiene su gesto irónico. ANTONIO insiste:)

ANTONIO—Cecilia me lo contó. Que usted le dijo: vamos a caminar por los bosques de Palermo. Como Sócrates.

PROFESOR—Y sí...

ANTONIO—Y después le contó que Sócrates fue condenado por pervertir a la juventud.

PROFESOR—¡Es un hecho histórico! *(Por primera vez pierde su postura.)* ¡Pero qué situación desagradable! ¿Qué es esto? Un jovencito me viene a mi casa... primero me insulta... después me invita a tomar un café para charlar... Y termina diciéndome que trato de seducir a su noviecita. Una muchacha que, por otra parte, sabe lo que quiere.

ANTONIO—*(Explota.)* ¡No sabe lo que quiere! Está confundida.

PROFESOR—De última... ¡es una alumna! Es mi responsabilidad. Esa chica tiene talento. Pero va a tener que trabajar en serio.

ANTONIO—Cuando empezaron las clases me dijo que usted la miraba mucho.

PROFESOR—¡Pero no te digo! Esa chica tiene algo. Oíme... estoy cansado de darle clases a chiquilines mediocres... Uno se pregunta para qué mierda se dedican a la literatura.

ANTONIO—Y cuando charlaron en el tren...

PROFESOR—*(Le resta importancia.)* Ah, sí... Nos encontramos de casualidad.

ANTONIO—Cecilia me contó que usted iba para el centro y ella para Pilar, a la casa de la tía. Que le dijo desde el andén de enfrente que lo esperara... Usted cruzó las vías.

PROFESOR—¿Cómo que crucé las vías? ¿Qué? ¿Voy a hacer un papelón delante de todo el mundo? Crucé el andén como se debe cruzar.

ANTONIO—*(Obcecado.)* Pero cruzó el andén.

PROFESOR—¡Y sí! Tenía que hacer tiempo. Me daba lo mismo ir al centro que ir a Pilar.

Antonio—Cuando me lo contó, le dije: te quiere coger. *(El Profesor va a protestar. Antonio sigue y dice, como si le hablara a Cecilia:)* Escuchame... un tipo que se cruza la vía...

Profesor—¡No crucé la vía!

Antonio—Que se cruza el andén... a la edad de él...

Profesor—*(Explota.)* ¡Qué tiene que ver la edad! Hay viejos de ochenta... y pibes de quince... ¡y se la pasan de un andén a otro!

Antonio—*(Insiste.)* Lo que yo le explicaba a Cecilia... Un tipo como él... un profesor... un escritor... que tiene miles de cosas que hacer... Está en el andén de enfrente... Te ve. Se cruza... y se va hasta Pilar... ¡Dejame de joder! ¿Para qué? ¿Para hablarte de literatura?

Profesor—Y sí. Hablamos de literatura.

Antonio—*(Sigue en lo suyo.)* ¡Ese tipo te quiere coger! Después te invita a caminar por los bosques de Palermo...

Profesor—¡Y dale con los bosques de Palermo! Ya te lo expliqué.

Antonio—¿Qué está buscando? ¡Te quiere coger! Y se lo dije: acostate con él.

Profesor—*(Recupera su tono cínico.)* No sería mala idea. Pero ya te dije: jamás me acuesto con mis alumnas. Es una cuestión de principios.

(El Profesor comenzará a desprenderse del bar. Toma la taza de té y la coloca sobre la mesita de luz. Ingiere un remedio y se tira en la cama. Saca un cuaderno y se pone a escribir. Al mismo tiempo dice:)

Eso sí: hacé esfuerzos para que no se gradúe.

Antonio—*(Con dolor.)* Yo la amo, profesor. Y no quiero perderla.

Profesor—No seas convencional.

(El Profesor ya está acostado escribiendo. Antonio bebe. Se hace una pausa. Hasta que Antonio toma una decisión. Sale del bar y se queda parado un instante frente a la cama del Profesor que sigue escribiendo. Finalmente, el Profesor deja a un costado el cuaderno y dice:)

Profesor—Pasá y sentate.

(Antonio toma la silla del bar, la acerca a la cama y se sienta. El Profesor sigue escribiendo.)

Antonio—Lo interrumpí.

Profesor—*(Deja el cuaderno a un costado.)* Está bien. *(Echa gotas de un remedio en un vaso.)*

ANTONIO—Lo siento.

PROFESOR—No importa.

ANTONIO—Justo estaba escribiendo.

PROFESOR—Y te lo agradezco. Me aburre escribir.

(ANTONIO hace un gesto de incredulidad.)

¡En serio! ¡No sabés que alivio cuando alguien me interrumpe! ¡Y lo que me cuesta, a veces, encontrar una excusa para no escribir! ¡Te agradezco que hayas venido!

(El PROFESOR bebe el remedio. ANTONIO lo mira.)

ANTONIO—En serio. No quise interrumpirlo.

PROFESOR—*(Le grita.)* ¡Y yo te lo agradezco! ¡Me aburre escribir! ¡Porque soy un escritor aburrido! ¡Y el primero que se aburre soy yo! Imaginate los lectores... *(Breve pausa.)* Me divierte la idea que la gente tiene de los escritores. Influencia del cine norteamericano. ¿No viste esas películas? ¡Dostoiewsky! Escribe... escribe... sufre... se caga de frío... Pasan las carillas... pasan las carillas... ¡En cinco minutos se escribió *Crimen y castigo*! ¡Y claro! No se podía interrumpirlo. Si alguien golpeaba la puerta en el momento en que Raskolnikov iba a matar a la vieja... No había crimen... y entonces Dostoiewsky hubiera escrito una novela titulada *La tranquila vida del señor Raskolnikov.* Y nos perdíamos uno de los monumentos de la literatura. *(Mira a ANTONIO.)* ¿Entendiste? *(ANTONIO hace un gesto de aceptación.)* Cecilia se hubiera reído a carcajadas. Esa chica me entiende. *(Transición.)* Ah, te aclaro. No me acosté con ella. Ni siquiera pude hablarle. Hace una semana que no viene a mis clases.

ANTONIO—Por eso quería hablarle.

(Se produce una pausa creada por el tiempo que se toma ANTONIO para hablar. Pedirá permiso para servirse una ginebra de la botella que está en la mesa del bar. Luego dirá:)

Cecilia estuvo muy mal. Quería dejar las clases. *(El PROFESOR lo mira.)* Sus clases.

PROFESOR—*(Amenazante.)* Sos vos el que no quiere que venga a mis clases...

ANTONIO—*(Se encrespa.)* ¡Eso no es cierto!

PROFESOR—¿No te das cuenta que para ella es muy importante...? Como escritora...

ANTONIO—*(Se impone.)* ¡No es cierto! ¿Quiere que le diga una cosa? ¡Estuvimos dos días hablando...! ¡Dos días sin parar! ¡Y no le estoy exagerando! Desde el miércoles a las dos de la tarde hasta el viernes al mediodía.

PROFESOR—A tu edad yo era capaz de estar dos días...

ANTONIO—*(Se impone.)* Ella me dijo que quería dejar sus clases. Así empezó todo. Yo le dije que no. ¡Que nos iba a joder! *(Se altera.)* ¿No se da cuenta que yo quiero lo mejor para ella?

PROFESOR—No creo en la bondad. Y menos en la tuya.

(ANTONIO bebe. Se hace una pausa.)

PROFESOR—¿Va a volver a las clases?

(ANTONIO asiente. El PROFESOR, abstraído, se sirve ginebra y alza la copa hacia ANTONIO.) Por el amor de los jóvenes. *(Bebe. Mira a ANTONIO.)* Cuarenta y ocho horas... *(Sabiendo que no es así.)* ¿Qué? ¿Se recorrieron todos los bares de Buenos Aires?

ANTONIO—Un amigo me prestó el departamento. Se va de viaje. Pero fue muy hermoso. Es la primera vez que toco fondo con alguien.

PROFESOR—Nunca vas a tocar fondo con nadie, salvo que quieras conocer el infierno. ¿Leíste a Sartre?

(ANTONIO niega.)

Era mi escritor preferido cuando tenía tu edad. *(Le aclara:)* Un escritor de este siglo, ¿eh?

(ANTONIO sonríe.)

No te creas... Siempre pienso que uno de estos días algún alumno me va a preguntar si conocí personalmente a José Hernández.

(ANTONIO ríe francamente.)

¿Te reís? El año pasado una alumna, una enana miserable, me preguntó si había conocido a Roberto Arlt.

(Como si le hablara a la alumna:)

¡Nena...! Roberto Arlt murió en 1942.

ANTONIO—El año que nació mi viejo. Pero usted parece mayor que él.

PROFESOR—*(Se pone mal.)* Yo soy mayor que todos.

ANTONIO—Digo... Pudo haberlo conocido.

PROFESOR—*(Se va cargando.)* ¡Lo conocí! Yo salía del colegio con un globo en la mano y Roberto Arlt me lo hizo explotar con un cigarrillo. Yo me puse a llorar y Roberto Arlt salió corriendo mientras gritaba: "Ya tengo la idea para el *Juguete Rabioso*".

(Antonio ríe francamente. El Profesor bebe. La risa de Antonio lo afloja. Toma el cuaderno y hace una anotación. Le aclara:)

Me puede servir para un cuento.

(El Profesor se queda un instante mirando al joven.)

Me caés bien. Y es raro, porque los jóvenes me rompen las pelotas.

Antonio—*(Insinuante.)* Pero las jóvenes, no.

Profesor—Las jóvenes también me rompen las pelotas. Sólo que con las lindas soy más tolerante. La vez pasada vino a verme una ex alumna… Hermosa mujer… Un poco vieja… Veintisiete años…

(Antonio comenzará a divertirse.)

Bueno… estábamos en la cama, a punto ya de… Y no va y me dice: "Quiero recorrer la geografía de tu piel". *(Explota.)* ¡Ah, no! ¡Cursilerías, no! ¡No pude! ¡La eché! Y estaba muy buena. Pero si la dejaba me iba a decir: "penétrame", "hazme tuya", "correteemos desnudos por las verdes colinas de Yonshire". ¡Un disparate!

(Antonio ríe a carcajadas. Esto estimula al Profesor.)

Y tendría que haberme dado cuenta. ¡Pero soy un pelotudo! Porque me trajo un cuento… ¡No sabés! *(Falsamente lloroso.)* ¡Cómo se puede escribir "cual la salida del sol!" "¡Cual la salida del sol!" Se lo dije: "Es como vender choripanes en la Capilla Sixtina mientras tocan 'El Mesías' de Haëndel".

(Antonio lanza otra carcajada. El Profesor bebe satisfecho por el efecto del cuento. Admite:)

Fue una frase feliz. Ella también se rió. Como vos. Inclusive, ahí empezó todo. Porque, como ella se rió… yo la abracé y… El humor es una buena estrategia. Afloja. Es permisivo, ¿entendés?

(Antonio lo mira sin entender.)

Quiero decir… Vos a una mujer no le podés decir brutalmente, ¡vamos a la cama!

Antonio—¿Por qué no?

Profesor—¡¿Cómo por qué!? Porque no es manera. ¿Cómo vas a llegar a la cama sin una frase inteligente?

Antonio—Yo a Cecilia nunca le dije una frase inteligente.

Profesor—¿Y qué? ¿Le dijiste vamos a la cama y ella fue a la cama? ¡Como una puta!

Antonio—No. Le dije "qué hermosa sos".

PROFESOR—No es muy original. ¿Y ella qué dijo?

ANTONIO—Vos también sos hermoso.

PROFESOR—¡Y se fueron a la cama!

ANTONIO—No... La historia empezó en un colectivo. Ahí la conocí. Yo me senté al lado. Nos miramos... Yo le dije: "qué hermosa sos". Ella me dijo: "vos también sos hermoso".

PROFESOR—*(Enojado.)* ¡Y se acostaron en el colectivo!

ANTONIO—*(Divertido.)* No... Fuimos a tomar un café. Charlamos... Y terminamos en el departamento de un amigo.

PROFESOR—¡El que se va de Buenos Aires!

ANTONIO—No... en la casa de otro amigo. Es músico.

PROFESOR—¿Y qué? ¿Les tocaba la marcha nupcial en el armonio?

ANTONIO—*(Riendo.)* No... Tiene guita. Bah... la familia tiene guita. Vive en una casa muy grande... En el fondo tiene un estudio para él solo.

PROFESOR—De todas maneras... Lo que quiero decirte es que las palabras ejercen seducción. Yo me acuerdo... *(Bebe otro trago y reflexiona.)* Puta... No tendría que tomar. *(Sigue con el relato:)* Una hermosa mujer... ¡Pero complicada! Salimos varias veces... Le gustaba mucho la pintura. Íbamos a exposiciones... coloquios sobre plástica... *(Cambia de conversacion.)* Le dije a Cecilia que tiene que acercarse a la pintura. La imagen pura. Como la poesía. La palabra pura. Sólo hay arte en la poesía y en la pintura. Todo lo demás es pura estrategia. El puto ingenio. *(Da por terminada la conversación.)*

ANTONIO—¿Y qué pasó con la mujer ésa?

PROFESOR—¿Qué mujer? ¡Ah, sí...! Ibamos a exposiciones... prácticamente todos los días. Y también le gustaba la música medieval. Me acuerdo que en esa época había un conjunto muy bueno Zárate. Y los sábados íbamos a escucharlo.

(Se queda un instante mirando a ANTONIO.)

No sé por qué te cuento todo esto.

ANTONIO—Porque a las mujeres hay que hablarles.

PROFESOR—¡Ah! Una mujer que ni dejaba que le agarraran la mano. Y una noche... eran como las tres de la mañana... estábamos en un bar... ya no teníamos de qué hablar y salió el tema de la ecología... *(El PROFESOR ha comenzado a poner en marcha su histrionismo. ANTONIO lo advierte.)*

Con una intelectual a las tres de la mañana... O estás en la cama o hablás de ecología.

(ANTONIO se ríe.)

¡Ecologista! ¡Preocupada por la extinción de las ballenas! ¡Qué carajo me importan las ballenas!

(Espera, bebiendo otro trago, que ANTONIO calme su risa.)

Bue... después que lloramos durante horas por los pobres cetáceos... Me pregunta: "¿Cómo se mata a las ballenas?". *(Mima la respuesta que le dio a la mujer.)* "Con la indiferencia".

(ANTONIO lanza la carcajada. El PROFESOR ríe también.)

¡Y ahí le agarré la mano! A la hora estábamos en la cama. Me dijo: ¡Fue una frase brillante! *(Bebe.)* Una vieja como de treinta años. Y los pechos más hermosos que vi en mi vida. Grandes, pero como si fueran de una adolescente.

(Se hace una pausa. El PROFESOR comenta, como al pasar:)

Cecilia... quiero decir... *(Se roza el torso.)* Es más bien chata...

ANTONIO—¿Cecilia?

PROFESOR—¡Oíme...! Yo no ando mirando. Digo... las clases son en invierno... ella usa esos pulóveres amplios...

ANTONIO—Cecilia es tetona. Anda jodiendo con que se las quiere achicar. Está loca. Primero, que a mí me gustan grandes...

PROFESOR—*(Alcanza a decir.)* A mí también...

ANTONIO—Además... Si las tiene duras. Pero le da vergüenza. Entonces se las esconde.

(Se hace una pausa. El PROFESOR se queda pensativo.)

PROFESOR—Esa chica tiene talento. Escribió un poema... *(Le dice como si ANTONIO supiera de cuál se trata.)* El de los adolescentes en la playa.

ANTONIO—*(Algo resentido.)* Ella no me muestra lo que escribe.

(Nueva pausa. ANTONIO se toma su tiempo para decir:)

Una vez me mostró uno y le dije "no sé, no lo entiendo". Me dijo que a usted le había gustado mucho. Uno que hablaba sobre el "pito del tipo".

PROFESOR—Uno de los primeros.

ANTONIO—No lo entendí.

PROFESOR—Son búsquedas. Ella está buscando su propio lenguaje. Su identidad.

ANTONIO—Todo lo que le pregunté era si el tipo del pito era yo. Me dijo que no lo sabía.

PROFESOR—¡También! ¿A quién se le ocurre preguntarle a un escritor sobre el origen de sus imágenes? La gente no acepta la locura del creador. ¡Todo tiene que tener una explicación! Uno de mis primeros cuentos empezaba: "Yo tenía un tío que tocaba el trombón". ¡Si supieras la cantidad de parientes que me llamaron para preguntarme cuál era el tío que tocaba el trombón!

(Ríe satisfecho por la humorada.)

ANTONIO—Cecilia me dijo que usted le preguntó lo mismo.

(El PROFESOR lo mira desconcertado. ANTONIO le aclara:)

Que usted le preguntó si el tipo del pito era usted.

PROFESOR—Pero cómo yo… ¡Justo yo que lo único que les enseño es que un escritor es la palabra en libertad! Eso es todo lo que quiero que aprendan. Se los digo en cada clase… se los repito… ¡Liberen la palabra! ¡No se pregunten de dónde sale! ¡La palabra en libertad! ¡Eso es un escritor: la palabra en libertad!

ANTONIO—*(Insistente.)* Cecilia me lo contó.

PROFESOR—¡Habrá sido una broma! Cecilia es muy joven y… *(Explota.)* ¡Pero te cuenta todo!

ANTONIO—Cada cosa que usted le dice.

(El PROFESOR lo mira un instante.)

Nosotros siempre nos decimos la verdad.

PROFESOR—*(Se encrespa.)* ¿Qué verdad? ¡La verdad no existe! Lo único que existe es la poesía. Proust dice que lo que nos atrae de los demás es su parte desconocida. ¿Leíste *En busca del tiempo perdido*?

(ANTONIO apenas alcanza a decir que no. El PROFESOR revuelve entre sus libros. Mientras dice:)

PROFESOR—*Tiene que estar por acá. Hace poco lo estuve releyendo.*

(Descubre un libro y se lo tiende a ANTONIO.)

¿Lo leíste?

(ANTONIO toma el libro, lo mira y niega con la cabeza.)

Se pronuncia "Bodeler".

ANTONIO—*(Molesto.)* Lo conozco. Cecilia me prestó uno que se llamaba *Las flores del mal*. También leí a Rimbaud. *(Lo pronuncia correctamente.)*

(El PROFESOR lo mira un instante.)

Pero se lo dije a Cecilia. Me gustan más las novelas policiales. Ella se enojó.

PROFESOR—Eso te pasa por decir la verdad. Nunca hay que decir la verdad. Y menos a una mujer.

(El PROFESOR encuentra el libro que buscaba y lo hojea.)

ANTONIO—Yo no le conté a Cecilia que usted y yo nos vimos.

PROFESOR—*(Mientras sigue buscando.)* Me parece muy bien.

ANTONIO—Pero tengo que contárselo.

PROFESOR—¿Para qué? *(Encontró el párrafo que buscaba.)* ¡Escuchá! *(Lee.)* "Se ha dicho que el silencio es una fuerza terrible" *(Levanta los ojos del libro y le repite.)* ¡Terrible! *(Vuelve al libro.)* "Cuando está a disposición de aquéllos que son amados". ¡El silencio!

ANTONIO—¿Y si se lo cuenta usted? *(Aclara.)* Si usted le cuenta a Cecilia que nos vimos.

PROFESOR—No tengo por qué contárselo.

(Pausa.)

ANTONIO—¿Va a volver a hablar con ella?

PROFESOR—¿Por qué no? *(Lo mira.)* ¿Vos no querés que hable con ella?

(ANTONIO bebe un trago de ginebra. Se toma su tiempo para decir:)

ANTONIO—Yo creo que Cecilia está enamorada de usted.

(El PROFESOR se queda un instante mirándolo.)

PROFESOR—¿Por qué suponés que está enamorada de mí?

ANTONIO—*(Explota.)* ¡Porque está enamorada de usted! Yo no soy ningún boludo. ¡Está enamorada de usted! Me acuerdo el día que empezó las clases. Yo la estaba esperando a la salida y le pregunté ¿qué tal el nuevo profesor? ¿Sabe qué me contestó? "Cuando entró pensé: tiene cara de aburrido. A los diez minutos me di cuenta que era un hombre del que podía enamorarme". Así me dijo.

PROFESOR—Me suele suceder. Pasar desapercibido, hasta que me dejan hablar. Pero no te preocupes. Al tiempo dicen: "Es cierto. Era aburrido". Como un personaje de Chejov.

(El PROFESOR se queda mirando a ANTONIO que ha vuelto a caer en un estado de contenida angustia. Se toma su tiempo para decir:)

Yo voy a hablar con Cecilia.

ANTONIO—*(Explota.)* ¡No! ¡Justamente, no! No hable con ella… No le diga nada. Ella va a ir a sus clases, porque son importantes.

Pero, por favor... ¡Déjela tranquila! Todo está bien ahora entre nosotros.

PROFESOR—Pero yo sólo quiero hablarle para ayudarte.

ANTONIO—¡Por favor! *(Breve pausa. Le reclama:)* Prométame que no le va a hablar, prométamelo... Prométamelo.

PROFESOR—Está bien. Te lo prometo. Empeño el silencio.

(El PROFESOR *se tira en la cama a escribir.* ANTONIO *saca del bolso alguna prenda y se cambia hasta adquirir un aspecto de alguien que practica deportes. Extrae una toalla y se "seca" el pelo. Entretanto mira al* PROFESOR *que escribe.)*

ANTONIO—Supongo que no me estará poniendo como personaje... *(El* PROFESOR *lo mira. Le aclara:)* Lo que escribe. No me estará escribiendo a mí.

PROFESOR—No. Esta historia pasa durante las invasiones inglesas. No tenés lugar en esta historia. Salvo que convierta al teniente de húsares en un pendejo, gran fornicador. *(Transición.)* ¿Y por qué no?

ANTONIO—Debe ser lindo escribir. Usted tendría que conocer mi familia. ¡Qué novela escribiría!

PROFESOR—¡Yo no sé qué cree la gente de los escritores! "Ay, señor, si conociera mi vida, qué novela escribiría"... Tendría que conocer a mi familia. En realidad no quieren escribir a la familia. Quieren destruirla. Y le piden a uno que sea el verdugo.

(El PROFESOR *se ha quedado releyendo lo que escribió. Arranca la hoja, la estruja y la tira al suelo.)*

PROFESOR—¿Qué pasa con Cecilia? Yo no la veo nada bien. Esa chica está muy angustiada.

ANTONIO—Ayer pasamos la noche juntos. En el departamento de mi amigo. Cogimos como nunca. Después se puso a llorar, se abrazó a mí y se quedó dormida. Esta mañana estaba bien.

PROFESOR—Tomemos unas ginebras, ¿eh?

*(*ANTONIO *se sienta junto a la mesa del bar. El* PROFESOR *toma la botella de ginebra, un vaso y ocupa la otra silla. El* PROFESOR *bebe un largo trago. Se toma su tiempo para decir:)*

Lo estuve pensando... Voy a invitarla a Cecilia a tomar un café. Quiero hablar con ella.

ANTONIO—*(Se pone muy mal.)* ¿Pero para qué?

PROFESOR—¡Porque quiero hablar con ella! ¿O acaso te tengo que pedir permiso?

ANTONIO—La va a joder. ¿No se da cuenta que la va a joder?

PROFESOR—¿Pero en qué la voy a joder? ¿No me dijiste que está bien? Anoche fornicaron hasta las cinco de la mañana... ella lloró... Pero esta mañana estaba bien.

ANTONIO—Usted me prometió que no le iba a hablar.

PROFESOR—¡Pero por Dios! Esa chica puede ser una gran poeta, ¿me oíste? Una gran poeta. Y cuando hablo de gran poeta no estoy hablando de un artesano de las palabras. ¡Está lleno de artesanos de las palabras! ¡Cientos! ¡Miles! En la escuela primaria... Escriben una composición sobre la vaca y ya parecen escritores. *(Grita.)* ¡Pero eso es mierda! A ver si nos entendemos. ¡Pura mierda!

(Bebe un largo trago. El alcohol comienza a hacer efecto.)

Yo escribí: "Tengo un tío que tocaba el trombón". ¿Dónde está la poesía? ¿En trombón? ¡Mierda! Para lo único que me sirvió es para que me llamara un primo *(Se carga de odio:)* que ni siquiera era primo... Hijo de una prima de mi madre... ¡Tampoco! Está casado con la hija de una prima de mi madre... *(Imita al personaje:)* "Gracias por acordarte del tío Cholo..." ¿Qué tío Cholo? *(Vuelve al personaje.)* "¿Te acordás que éramos pibes...?" "El día que se casó la tía Delfina". *(Se indigna.)* "¿Qué tía Delfina?" *(Otra vez el personaje.)* "¡Y el tío Cholo tocó el trombón!" *(Explota.)* ¡Qué tío Cholo! ¡Qué tía Delfina! Pero el hijo de puta... el que está casado con una prima de mi madre... ¡Me estaba diciendo que yo tenía un tío que tocaba el trombón! ¡Me cago en la realidad! *(Con dolor:)* Yo había inventado una imagen poética. Pero todo se achata. Se vuelve cotidiano.

(El PROFESOR se pone de pie. Es evidente que se siente mal.)

ANTONIO—¿Le pasa algo?

PROFESOR—No tengo que tomar.

(ANTONIO va hacia él. Lo ayuda a recostarse en la cama. El PROFESOR le señala la mesita de luz.)

PROFESOR—Alcanzame ese frasco.

(El PROFESOR se coloca una pastilla en la boca.)

Esta puta presión... En fin... La crisis de la presbicia la atravesé bien. De última... un escritor con anteojos es casi un lugar común... Pero la presión...

ANTONIO—¿Quiere que llame a un médico?

PROFESOR—¡¿Médico?! ¡¡Nooo!! No soy un enfermo. Es un poco de presión nada más. *(Por el remedio.)* Esta mierda me hace bien. Ya te puedo correr una carrera.

(ANTONIO le devuelve un gesto sobrador.)

¿Qué? Cuando tenía tu edad jugaba al rugby. Y era bastante bueno.

ANTONIO—*(Irónico.)* ¿Cuando usted tenía mi edad ya se había inventado el rugby?

PROFESOR—*(Molesto.)* Ése es un chiste mío. No pretendas imitarme. A Cecilia le gusta como sos.

ANTONIO—¿Qué quiere decir?

PROFESOR—Que vos ganás.

ANTONIO—Claro que gano.

PROFESOR—Porque yo te dejo ganar.

ANTONIO—¿Cómo que me deja ganar?

(El PROFESOR salta de la cama. Se tira al suelo y queda erguido, apoyado sobre los brazos extendidos.)

PROFESOR—¡Flexiones!

(ANTONIO lo mira sin entender.)

Vamos a hacer flexiones. A ver quién aguanta más.

(El PROFESOR comienza a hacer flexiones, al mismo tiempo que cuenta cada uno de los ejercicios.)

ANTONIO—¡Por favor! ¡Le puede hacer mal!

PROFESOR—¡Andate a la mierda!

(Los movimientos del PROFESOR se van haciendo más lentos hasta que sus brazos no responden. Se levanta pesadamente.)

PROFESOR—A ver cuántas hacés vos.

ANTONIO—¿Para qué?

PROFESOR—Para ver cuántas hacés. A ver tu juventud. A verla. ¡Vamos!

ANTONIO—*(Sonriendo.)* Yo puedo hacer muchas más.

PROFESOR—Seguramente. Pero quiero verlo. A ver esa juventud.

ANTONIO—No le encuentro sentido.

PROFESOR—¿Pero por qué las cosas tienen que tener sentido? Eso es un síntoma de vejez. La racionalidad. Sólo hago lo que tiene sentido. ¡A tu edad! ¡Cagate en las cosas que tienen sentido! ¡Jugá!

ANTONIO—No sé... Me parece tan absurdo, ponerme a hacer flexiones como un pelotudo.

PROFESOR—¿No te das cuenta que yo soy más joven que vos? Quincuagenario, présbite e hipertenso... Y soy más joven que vos. *(Agresivo.)* ¿No será que Cecilia se habrá dado cuenta? ¿No será por eso que llora?

(ANTONIO se arroja al suelo y comenzará a hacer flexiones con la seguridad de un deportista profesional. Una vez que superó la cifra de ejercicios del PROFESOR lo mira:)

ANTONIO—¿Quiere más?

(Pega un salto y se pone de pie imitando, con los brazos en alto, el saludo de los artistas de circo. Luego le dice al PROFESOR:)

En los cien metros estoy a dos décimas de la marca profesional.

PROFESOR—*(Se ríe.)* Yo no estoy hablando del cuerpo. *(Se golpea la frente.)* La juventud está acá. *(Se burla:)* Dos décimas de la marca profesional. ¿Y para qué sirve eso? Corrés... corrés... ¿Y qué? ¡Al pedo! Nunca entendí a esos pelotudos que corren... corren... ¿A dónde van?

ANTONIO—Yo me siento libre cuando corro.

PROFESOR—*(Se encrespa y se golpea nuevamente la frente.)* ¡La libertad está acá, pelotudo!

(ANTONIO, molesto, toma el bolso y va a sentarse en el café. El PROFESOR lo mira un instante. Luego lo llama afectuosamente.)

Antonio... Tenemos que charlar, vos y yo.

ANTONIO—¿Para qué? ¿Qué necesidad tiene de hablar con un pelotudo?

PROFESOR—¡Vamos...! ¿Vos sabés que yo me doy cuenta que empiezo a querer a alguien cuando lo insulto? Hasta que no le digo pelotudo es porque me resulta indiferente.

(El PROFESOR toma el cuaderno y se pone a escribir. Arranca la hoja, la estruja y la tira. Mira un instante a ANTONIO.)

¿Y Cecilia qué dice de eso de que corras?

(ANTONIO lo mira con odio y no contesta.)

¿No me vas a contestar? ¿Preferís que se lo pregunte yo? ¿Que le hable? *(Pausa.)* ¿Querés que se lo pregunte?

(ANTONIO toma una decisión. Va hacia el departamento del PROFESOR.

Se queda mirándolo un instante. El Profesor *deja de escribir.*)

Profesor—Me alegra que hayas venido. No encontraba un motivo para dejar de escribir.

Antonio—*(Algo agresivo.)* Habló con Cecilia.

(El Profesor *lo mira y dirá con tono sincero.)*

Profesor—No.

*(*Antonio *le cree y se afloja.)*

Yo pertenezco a la generación de la barra de café. Cuando dábamos una palabra la cumplíamos. Sobre todo en materia de minas. Empeñábamos el silencio.

(Hay un tiempo. Es evidente que Antonio *quiere decirle algo al* Profesor. *Éste lo advierte. Toma la botella y sirve dos vasos.)*

¿Una ginebrita?

(Beben. El Profesor *espera que* Antonio *se decida. Finalmente, éste saca un papel y se lo tiende al* Profesor.)*

Antonio—Son cosas que anoté.

(El Profesor *se cala los anteojos y lee.* Antonio *está ansioso. El* Profesor *le devuelve el papel.)*

Profesor—*(Como diciendo "qué querés que te diga".)* Está bien.

(Otra pausa. Antonio *se sirve y bebe ansiosamente.)*

¿Se lo mostraste a Cecilia?

*(*Antonio *niega con la cabeza.)*

¿Por qué?

Antonio—Anoche nos encontramos a las ocho de la noche y empezamos a caminar… Caminamos… caminamos… Hablamos todo el tiempo. Vimos el amanecer en La Boca. Casi se lo muestro. Pero… ¡Qué sé yo! Quería que usted lo viera antes. Yo no soy un escritor.

Profesor—Yo tampoco.

*(*Antonio *se pone mal.)*

Hijo… Un escritor no es más que las ganas de escribir. Y yo no tengo ganas de escribir. *(Lo mira.)* ¡Y a vos te gusta correr! ¡Corré!

Antonio—¡Qué sé yo lo que me gusta! Ahora me gusta escribir.

Profesor—Y bueno… En esta ciudad la mitad de la gente quiere escribir y la otra mitad poner un restaurante. Pero ninguno se decide.

Por eso encontrás mozos que son poetas y poetas que terminan como dueños de un carrito de la Costanera.

(Antonio no entiende la humorada o no le produce gracia. El Profesor se ríe y anota.)

Me puede servir para un cuento.

Antonio—Cecilia me dice lo mismo. Si te gusta correr, corré.

(El Profesor se queda mirándolo un instante. Se toma su tiempo para decirle:)

Profesor—A Cecilia le gusta mirarte desnudo ¿no?

(Antonio se sorprende. El Profesor advierte que ha dado en el clavo.)

Hace que te pares desnudo arriba de una mesa y te contempla.

(Antonio se pone mal.)

Profesor—Como si fueras una estatua. *(Pausa.)* ¿No es así?

Antonio—*(Molesto.)* Tengo que irme.

Profesor—*(Incisivo.)* ¿Es así o no es así?

Antonio—Ya es hora…

Profesor—¡Te pregunté si es así o no es así!

Antonio—*(Explota.)* ¡Y yo quiero irme!

(Toma el bolso e intenta la salida.)

Profesor—*(Es casi un reclamo.)* Antonio…

(Antonio vuelve.)

Quedate un rato… Nos tomamos unas buenas ginebras, ¿eh?

(Antonio está indeciso. El Profesor sirve dos vasos. Le tiende uno a Antonio. Luego habla con naturalidad:)

¿Conocés Devoto? *(Antonio lo mira sin entender.)* Era mi barrio… Ahí me crié. Tiene una plaza hermosa… Y enfrente la biblioteca. Cuando tenía tu edad me pasaba las horas leyendo bajo los árboles… Y del otro lado había un boliche… Vaya a saber si está. *(Mira a Antonio.)* Digo… A vos y a Cecilia que les gusta caminar… Váyanse un día.

(El Profesor deja de hablar. Su rostro revela que no se siente bien. Ingiere una pastilla, Antonio lo observa.)

Antonio—¿No se siente bien?

(El PROFESOR *niega con la cabeza pero no puede ocultar el malestar.* ANTONIO *se anima a preguntarle:)*

¿Puedo hacer algo por usted?

(El PROFESOR *mira a* ANTONIO *un instante.)*

PROFESOR—¿Cómo?

ANTONIO—Le pregunté si puedo hacer algo por usted.

(El PROFESOR *se toma su tiempo para decir:)*

PROFESOR—Desnudate.

*(*ANTONIO *queda sorprendido. El* PROFESOR *insiste.)*

Desnudate. *(Ante la sorpresa de* ANTONIO, *insiste.)* Me preguntaste qué podés hacer por mí. Bueno... Si querés hacer algo por mí, desnudate.

*(*ANTONIO *transforma la sorpresa en cierto temor que el* PROFESOR *advierte:)*

¡No soy homosexual! No me gustan los hombres... ni los jóvenes. Me gustan las mujeres. ¡Todas las mujeres! Si son capaces de generar una poética de la sensualidad.

ANTONIO—Como Cecilia.

PROFESOR—Cecilia es una niña. Y las niñas vienen con la sensualidad puesta, aunque no se lo propongan. ¡Pero las hijas de puta se lo proponen! Descubren la sensualidad cuando cumplen tres años y saben cómo ejercerla hasta que se mueren. Salvo Margaret Thatcher.

*(*ANTONIO *lanza una carcajada. El* PROFESOR *se muestra satisfecho por la humorada.)*

¿Ves? También el amor tiene que justificarse, al menos, en una frase ingeniosa. Y, lo ideal, en una imagen poética. Como cuando Cecilia escribe: "Vino hacia mí como una estatua desnuda". ¡Eso! Fijate que no escribió "una estatua de mármol". "Una estatua desnuda". Estaba hablando de un ser humano.

(Breve pausa. Bebe. Mordaz.) ¿De quién estaba hablando?

*(*ANTONIO *se pone a la defensiva, pero no contesta. El* PROFESOR *espera:)*

De vos.

ANTONIO—Yo no leí el poema.

PROFESOR—*(Se encrespa.)* ¡Pero de quién carajo estaba hablando sino de vos! ¿No te hace parar sobre la mesa para admirar tu cuerpo desnudo?

ANTONIO—A ella le gusta admirar mi cuerpo. ¡Eso es cierto! ¡Pero yo no me paro sobre la mesa! ¿Qué soy...? Un...

(No encuentra la palabra.)

PROFESOR—Exhibicionista. ¿Cómo admira tu cuerpo?

ANTONIO—Lo mira... Dice que le gusta mi cuerpo.

PROFESOR—Si lo admira es porque le gusta verlo. ¿Cómo te lo ve?

ANTONIO—¡Me lo ve! Si nos acostamos...

PROFESOR—¡Eso ya lo sé! Pero... ¿qué? Uno al lado del otro, en la cama, desnudos... Si yo me tiro boca arriba en la cama, no se me nota la panza... Si me paro... *(Dibuja con la mano un gran abdomen.)* Ella dice: "Vino a mí como una estatua desnuda". Las estatuas uno las ve. Las admira. No las toca. No las abraza. ¡¡Las contempla!! ¡Son un hecho estético!

ANTONIO—Usted quiere decir que para Cecilia no soy más que una estatua...

PROFESOR—No lo sé. ¿Por qué no te muestra sus poemas?

(ANTONIO se pone muy mal. El PROFESOR se toma su tiempo para decir:)

Desnudate.

(ANTONIO, muy alterado, se desnuda y dice:)

ANTONIO—¿Sabe qué me pide? Que me ponga así. Para poder hacer el amor yo me tengo que poner así.

(Ha quedado desnudo con las manos cruzadas detrás de la cabeza. Su cuerpo es realmente perfecto. El PROFESOR lo mira.)

PROFESOR—Yo no entiendo de hombres. Pero sos realmente muy bello. *(Cambia de tono.)* ¿Sabés como sigue el poema? "Y se convirtió en un puñado de sal".

ANTONIO—*(Ha vuelto a vestirse. Mira al PROFESOR.)* La estatua desnuda soy yo. ¿Qué quiere decir que me convierto en un puñado de sal?

PROFESOR—Esa pendeja te está jodiendo.

(ANTONIO bebe un largo trago. Se toma su tiempo para explotar.)

ANTONIO—¡Eso tiene que ver con usted! ¡Es usted el que le llena la cabeza! Usted es un viejo degenerado.

PROFESOR—Tuteame, si querés.

ANTONIO—¡Pero yo me cojo a Cecilia! ¡¡Yo!! ¿Y quiere que le cuente lo que le hago? ¿Cómo lo hago? ¿Quiere que se lo cuente?

(ANTONIO sale de la habitación del PROFESOR y va a sentarse en el bar. El PROFESOR escribe.)

PROFESOR—*(Por lo que está escribiendo.)* ¿Por qué el tutor tiene que ser un hombre joven? Julia podría enamorarse de un hombre mayor...

(ANTONIO se esta secando el pelo con una toalla. Acaba de entrenar.)

ANTONIO—Quiero hablar con usted.

PROFESOR—Estoy escribiendo. *(Sigue con el cuento.)* Julia y el teniente de húsares hacen el amor en la playa... El tutor los ve...

ANTONIO—*(Algo amenazante.)* Tenemos que hablar...

PROFESOR—*(Lo chista.)* ¡Después! Julia se deja deslumbrar por las palabras del tutor... Las palabras... Las palabras... El tutor dice: El arte de amar no es más que eso. La palabra justa en el momento preciso.

(Antonio, alterado, invade la habitación del PROFESOR.)

ANTONIO—¡Me va a escuchar! *(Lo mira.)* ¿Así que el silencio empeñado?

PROFESOR—¿Qué te pasa?

ANTONIO—Le habló. *(Pausa.)* ¡La citó en un bar y le habló!

PROFESOR—¡No es cierto! ¡Yo no le di ninguna cita! Yo estaba en el bar haciendo tiempo...

ANTONIO—¡Pero usted se la pasa haciendo tiempo!

PROFESOR—¡Y sí! Ésta es mi vida. Terminar una clase y hacer tiempo hasta la otra. Este mes me releí *La guerra y la paz.*

ANTONIO—Ella me dijo que usted la citó.

PROFESOR—¡Y eso no es cierto! Se sentó a mi mesa...

ANTONIO—Usted me prometió que la iba a dejar tranquila.

PROFESOR—¡Se sentó a mi mesa!

ANTONIO—¡Dejó de ir a una clase para estar con ella!

PROFESOR—Nos quedamos charlando...

ANTONIO—¡Dos horas!

PROFESOR—¡Y sí! es más útil dedicarle dos horas a esa chica que esos otros veinte mediocres que en su puta vida van a escribir una línea propia. ¡Mediocres! Cuando encuentran una imagen que vale la pena, la achatan. ¡Parece que lo hicieran a propósito! Y, de pronto, cuando aparece el riesgo de la palabra... ¡Ya está escrito!

(Se calma. Mira a ANTONIO *que está muy alterado.)*

No fue más que una conversación entre un profesor y una alumna.

ANTONIO—*(Violento.)* ¿¡Ah, sí!? ¿Y por qué la llama Cosette? ¿Qué necesidad tiene de llamarla Cosette?

PROFESOR—¡No es nada más que un personaje!

ANTONIO—¡Lo sé! ¡De *Los miserables*! Cecilia me lo dijo. Y me leí la novela.

PROFESOR—Ya lo ves.

ANTONIO—¡Es una historia de amor!

PROFESOR—Sí... Pero como literatura es pobre. Admitámoslo. Cuando tenía quince años la leí tres veces. Ni Víctor Hugo fue capaz de esa hazaña.

ANTONIO—Cecilia no se parece a Cosette.

PROFESOR—¡Qué sé yo! Es el recuerdo que yo tengo. De última... Si ella es Cosette, vos serás el joven Mario y yo el viejo Jean Valjean. ¿Qué te preocupa?

*(*ANTONIO *bebe un trago. Se toma su tiempo para decir:)*

ANTONIO—El fin de semana lo pasamos juntos...

PROFESOR—Ya me lo contaste. *(Molesto.)* Hicieron el amor en la playa. Se habrán cagado de frío, supongo.

ANTONIO—*(Desconcertado.)* ¿Qué playa? En el departamento de mi amigo... Se fue de Buenos Aires y...

PROFESOR—¿No era en la playa? *(Recapacita.)* No, está bien... En el departamento del hijo de puta ése que se va de Buenos Aires...

*(*ANTONIO *se ha quedado mirándolo. El* PROFESOR *bebe.)*

¡Seguí!

ANTONIO—Bueno... De pronto, Cecilia se puso muy mal... Empezó a llorar y a decirme que quería estar con usted. Que necesitaba hablar con usted. Que era el único hombre verdaderamente inteligente que conocía. ¡Se puso como loca! Tuve que pegarle.

PROFESOR—*(Alterado.)* ¿Cómo tuviste que pegarle?

ANTONIO—Estaba como loca.

PROFESOR—*(Indignado.)* ¿Le pegaste?

A̲n̲t̲o̲n̲i̲o̲—Un cachetazo. Nada más que un cachetazo. Pero le hizo bien. Porque se abrazó a mí. Me dijo que todo lo que quería era estar conmigo. Cogimos como nunca. *(Divertido.)* Diez, veinte veces. No bajamos ni a comer... Lo único que había en el departamento eran galletitas y té. Fue bárbaro.

(El P̲r̲o̲f̲e̲s̲o̲r̲ ha estado bebiendo. La historia de A̲n̲t̲o̲n̲i̲o̲ lo puso muy mal. Hace esfuerzos para parecer normal:)

P̲r̲o̲f̲e̲s̲o̲r̲—Por lo visto. Cecilia nos precisa a los dos.

A̲n̲t̲o̲n̲i̲o̲—*(A la defensiva.)* ¿Qué quiere decir?

P̲r̲o̲f̲e̲s̲o̲r̲—Es como un bello cuento. Julia ama a su tutor, pero se acuesta con el joven teniente de húsares. Mientras los ingleses invaden Buenos Aires.

A̲n̲t̲o̲n̲i̲o̲—¿Quién es Julia?

P̲r̲o̲f̲e̲s̲o̲r̲—Eso no te importa. *(De pronto, exultante:)* Salgamos un día los tres. *(A̲n̲t̲o̲n̲i̲o̲ lo mira.)* Cecilia, vos y yo.

A̲n̲t̲o̲n̲i̲o̲—¿Para qué?

P̲r̲o̲f̲e̲s̲o̲r̲—¿Cómo para qué?

A̲n̲t̲o̲n̲i̲o̲—Habíamos quedado en no decirle nada de...

P̲r̲o̲f̲e̲s̲o̲r̲—¡No hay nada que decirle! Es más... Vos la citás en un bar... Y yo aparezco, como si fuera una coincidencia. Y nos vamos los tres al cine. El sábado dan *Alejandro Nievsky.* ¿Viste *Alejandro Nievsky?*

(A̲n̲t̲o̲n̲i̲o̲ alcanza a decir que no.)

¡La película que inventó el cine! ¡Y que lo mató para siempre! La escena de la batalla... Todo lo que ustedes ven hoy... Bergman, Visconti... ¡Está todo ahí!

A̲n̲t̲o̲n̲i̲o̲—¿Pero para qué?

P̲r̲o̲f̲e̲s̲o̲r̲—¡Oíme...! Cecilia tiene que ver esa película. La escena de la batalla... Es la única que es poesía pura. Como un cuadro... Yo le expliqué a Cecilia: el cine está muerto. Como está muerta la novela. Porque necesitan de lo narrativo. ¡Y la anécdota pudre todo! ¡El puto ingenio! Por eso lo único vivo es la pintura... La imagen pura. Y la poesía. La palabra pura. Pero *Alejandro Nievsky...* La escena de la batalla... ¡Cecilia tiene que verla! ¡Vamos los tres! Yo los invito. Después nos vamos a cenar y a tomar un café. Yo los invito.

A̲n̲t̲o̲n̲i̲o̲—¿Para qué? ¿Para demostrarle a Cecilia que usted es un genio y yo un pobre tipo?

P̲r̲o̲f̲e̲s̲o̲r̲—No... No, hijo, no. Salgamos los tres, ¿eh? Me gusta oír a los jóvenes.

ANTONIO—No es cierto. Lo que le gusta es que los jóvenes lo escuchen a usted.

PROFESOR—Vieja manía de profesor. *(Pausa.)* "Mas la noche ventosa, la límpida noche que el recuerdo rozaba solamente, está remota, es un recuerdo".

ANTONIO—Eso es muy hermoso, profesor.

PROFESOR—Lo escribió Pavese... ¿Cuándo salimos los tres?

(El PROFESOR ingiere un remedio y se tira en la cama.)

ANTONIO—Yo no voy a hacer el papel de boludo. Salga usted con ella. Invítela al cine.

PROFESOR—La invité.

(ANTONIO queda paralizado. Mira al PROFESOR.)

Me dijo que no. Bah... No fue así. Yo le dije: "Algún día me gustaría ir al cine con vos". Se sonrió y me contestó: "Cuando cumpla los dieciocho y me dejen entrar". *(Ya está semidormido y alcanza a decir:)* Esa pendeja entiende.

(El PROFESOR se queda dormido.)

ANTONIO—Cecilia no me dijo nada. ¿Por qué no me dijo que la invitó a ir al cine? ¿Por qué no me lo dijo? ¡¡Por qué me mienten los dos!!

(ANTONIO se sienta en la mesa del bar y se pone a escribir.
El PROFESOR lo mira. Habla por ANTONIO.)

PROFESOR—Anoche fuimos a la plaza Devoto... cogimos en un banco, bajo los árboles... El mismo banco donde el profesor se sentaba a leer *Los miserables*. ¡Ese viejo de mierda! *(Pausa.)*

(ANTONIO deja de escribir y alterado invade la habitación del PROFESOR.)

ANTONIO—¡Usted se acostó con Cecilia!

(El PROFESOR lo mira asombrado pero no tiene tiempo para contestar.)

¿Por qué no me lo dijo? ¿Por qué me lo ocultaron?

PROFESOR—*(Alcanza a decir.)* ¿Qué te pasa...? ¿Te volviste loco?

ANTONIO—Gepeto... *(Lo dirá textualmente.)* Gepeto...

PROFESOR—¿Quién es Gepeto...?

ANTONIO—¿Por qué no la dejó tranquila? ¡La amo! ¿No se da cuenta? ¡La amo! ¡Viejo farsante!

(Se pone a llorar.)

PROFESOR—¿Qué estás diciendo...? *(Intenta tocarlo.)*

(ANTONIO se desprende y le grita.)

ANTONIO—Lo logró... ¡Ganó usted! Hace una semana que no la veo.

PROFESOR—Yo no tengo nada que ver...

ANTONIO—¡¡No me mienta más!! *(Le grita.)* "Por fin anoche, mi admirado profesor, mi amado Gepeto se metió en mi cama, me penetró e hizo de mí un ser humano".

(El PROFESOR lo mira.)

Leí el poema... Lo leí.

(El PROFESOR se toma su tiempo para entender.)

PROFESOR—¡Yepeto...! El viejo carpintero... El que inventó a Pinocho.

(ANTONIO se calma ante la explosión del PROFESOR. Lo mira.)

PROFESOR—No es Gepeto... Es "Yepeto"... el de los anteojitos... el carcamán... ¡Viejo bondadoso hijo de puta! *(A ANTONIO.)* ¿Cómo decía el poema?

(ANTONIO lo mira sin reaccionar.)

El poema que escribió Cecilia... El admirado profesor... que la penetró... Repetilo. ¡Repetilo carajo!

ANTONIO—*(Ahora más calmado.)* "Por fin anoche, mi admirado profesor, mi amado Gepeto..."

PROFESOR—*(A pesar suyo le sale el PROFESOR.)* Yepeto. Se pronuncia "Yepeto". Seguí.

ANTONIO—"Mi amado Yepeto se metió en mi cama, me penetró e hizo de mí un ser humano".

(Se hace una pausa prolongada. El PROFESOR bebe. ANTONIO va a sentarse al bar. El PROFESOR —al borde de las lágrimas— dirá:)

PROFESOR—Para ella no soy más que un viejo titiritero.

(El PROFESOR necesita acostarse. Se siente físicamente mal. Toma una pastilla. ANTONIO escribe. Tira lo que escribió. Ambos se quedan en silencio. Hasta que el PROFESOR dice:)

Antonio... ¿Qué pasa que no venías a verme?

ANTONIO—Profesor... Necesitaría hablar con usted.

PROFESOR—Antonio, no debería decírtelo, pero tenés que saberlo: ella va a elegir al más vulnerable.

(Pausa. Hasta que ANTONIO, *alegremente, invade la habitación del* PROFESOR.*)*

ANTONIO—Hola...

PROFESOR—*(Contento.)* Antonio.

ANTONIO—¿Cómo anda?

PROFESOR—Jodido... *(Toma una pastilla.)* Ésta es para la presión. Pero me hace mal al hígado. *(Toma otra.)* Ésta me cura el hígado... Pero me levanta la presión.

*(*ANTONIO *se ríe. Esto alegra el* PROFESOR.*)*

Pero estoy bien. Todo lo que tengo que hacer es dejar el cigarrillo, la bebida, la actividad sexual, caminar cuarenta cuadras por día, comer verdura y leer *Platero y yo.* Así puedo llegar a los sesenta.

*(*ANTONIO *ríe francamente. Esto hace bien al* PROFESOR.*)*

¿Y vos?

ANTONIO—Bien.

PROFESOR—¿Entrenás?

ANTONIO—A veces.

PROFESOR—¡Entrená! ¿No era que estabas a dos décimas de... no sé qué?

ANTONIO—De la marca profesional.

PROFESOR—Dos décimas no es nada.

ANTONIO—Eso es lo que usted cree.

PROFESOR—Pensá en mí, correcaminos. Estoy a cien años de Flaubert y a cuatrocientos de Cervantes.

*(*ANTONIO *saca un recorte del bolsillo y se lo extiende al* PROFESOR.*)*

ANTONIO—¿Lo vio?

PROFESOR—Sí... sí...

ANTONIO—Habla muy bien de usted.

PROFESOR—¡Pero mirá la foto! Parezco el padre de Sábato.

ANTONIO—*(Como si le diera la gran noticia.)* Dicen que es un habilidoso estratega del lenguaje.

PROFESOR—Lo leí... *(Pausa.)* ¿Sabés quién fue Paganini?

ANTONIO—Un músico.

PROFESOR—¡Bien, correcaminos! Bueno... según se cuenta, Paganini estaba una vez tocando un concierto y se le rompió la cuerda del violín. Pero siguió tocando. Pero hete aquí que se le rompió otra cuerda. ¡Y siguió tocando! ¡Y no va y se le rompe la tercera cuerda! *(Comenta:)* Puta que hay que tener mala suerte... ¡Y se le rompe otra cuerda! En fin... lo cierto es que terminó el concierto tocando en una sola cuerda. *(Pausa.)* Ahora, digo yo... Paganini equivocó la profesión. Tendría que haber sido equilibrista de circo. Moraleja: Paganini fue un habilidoso estratega de la cuerda del violín. *(Lo mira.)* ¿Entendiste?

ANTONIO—Más o menos.

PROFESOR—No entendiste un carajo, correcaminos. Pero no importa.

(El PROFESOR lo mira.)

ANTONIO—*(Alegremente.)* Queremos invitarlo a salir un día los tres.

PROFESOR—*(Reacciona.)* ¿Cómo los tres?

ANTONIO—Y sí... Salir una noche los tres. Ir al cine... a comer algo... a charlar...

PROFESOR—*(Se va poniendo mal.)* ¿De quién fue la idea?

ANTONIO—Mía. Y a Cecilia le pareció bien. Le encantó.

(Se hace una pausa prolongada. El PROFESOR está tomando una decisión hasta que dice:)

PROFESOR—Dame una ginebra.

ANTONIO—No puede tomar, profesor.

PROFESOR—¡Que me des una ginebra, carajo!

(ANTONIO le tiende un vaso.)

Por lo menos que me den el derecho a elegir mi presión. Quiero llegar a 28. Batir el record. ¡En algo tengo que ser el mejor!

(El PROFESOR bebe un largo trago que parece calmarlo. Sin embargo no pierde su tono irónico:)

Salir los tres... ¡Qué bien! ¿Cómo lo decidieron, correcaminos? Contame.

ANTONIO—Pasamos dos días en el departamento de ese amigo que se va...

PROFESOR—*(Explota.)* ¡¿Pero dónde carajo se va ese hijo de puta?!

ANTONIO—Al interior... Es viajante de comercio.

PROFESOR—Seguí.

ANTONIO—Y bueno... Hablamos... hablamos mucho de lo que nos pasa... Del futuro... Esas cosas, ¿no? *(Breve pausa.)* Y hablamos de usted. Hablamos mucho de usted.

PROFESOR—Y le contaste que vos y yo nos vemos.

ANTONIO—*(Divertido.)* Sí.

PROFESOR—Le contaste todo. Desde el primer día que nos encontramos.

ANTONIO—Sí... Desde el día que lo llamé para putearlo.

PROFESOR—¿Y Cecilia qué dijo?

ANTONIO—Se cagó de risa.

PROFESOR—*(Con amargura.)* No tenías derecho...

ANTONIO—No lo entiendo.

PROFESOR—¿Por qué le contaste todo?

ANTONIO—Nosotros nos decimos siempre la verdad.

PROFESOR—*(Estalla.)* ¡¡Me cago en la verdad de ustedes!! ¿¡Y yo qué soy!? ¿Un sorete?

ANTONIO—*(Asombrado.)* ¿Por qué dice eso, profesor?

PROFESOR—Son dos hijos de puta... Dos pendejos hijos de puta... Ahora sí... Ahora salgamos los tres. Ahora que ella sabe que yo soy el viejo Yepeto. ¡Salgamos los tres! Vamos a ver la retrospectiva del cine sueco así el profesor nos explica el mundo místico de Bergman y su relación con... ¡La concha de su hermana!

ANTONIO—*(Alcanza a decir.)* ¿Qué le pasa, profesor?

PROFESOR—*(Sigue descargando.)* Y después vamos a cenar y el profesor nos va a contar que estuvo presente el día que Flaubert, en un viejo café de París, le contó a Balzac que tenía una idea para una novela sobre la vida de una mujer... Y Balzac le preguntó: "¿Qué título le vas a poner?" Madame Bovary. Y Balzac le dijo: "Es un título de mierda. No la escribas".

ANTONIO—No lo entiendo, profesor...

PROFESOR—¡Sí que entendés! ¡Entendés todo! Cuando salgamos los tres, haceme acordar que se lo cuente a Cecilia. Ella se va a reír. Y después de la cena nos vamos a tomar un café al viejo bar de Villa Devoto donde el profesor iba cuando tenía la edad de ustedes... Y ahí, el viejo titiritero se toma dos ginebras y los puede hacer reír, con frases propias, otras copiadas y, quizás... ¡quizás! si está inspirado, con una frase original. Hasta que, a cierta hora, suelo orinarme encima. En ese caso, por favor, me traen hasta casa. Y después, ustedes se van a copular cuatro días seguidos a la casa del hijo de puta ése del viajante de comercio.

(El PROFESOR está agotado. Su mezcla de malestar físico y dolor es evidente. Bebe. ANTONIO lo mira un instante y luego dirá con toda ingenuidad.)

ANTONIO—Cecilia y yo lo queremos mucho.

(El PROFESOR lo mira un instante. Comenzará a tirarle con todo lo que tiene a mano.)

PROFESOR—Es lo peor que podías decirme... ¡Imbécil! *(Se le va acercando e intenta pegarle.)* ¡¡Imbécil!!

(El manoseo los ha acercado físicamente hasta que el PROFESOR convierte la agresión en un abrazo. Por fin, el afecto estalla.)

Yo también los quiero mucho, correcaminos.

(Hay un tiempo hasta que el PROFESOR se arrepiente de su desborde emocional. Se separa. Bebe.

Antonio, ante la confesión del PROFESOR, se siente habilitado para confesar:)

ANTONIO—Profesor... *(Saca un papel del bolsillo y se lo entrega.)*

PROFESOR—¿Qué es esto?

ANTONIO—Le escribí un poema a Cecilia.

PROFESOR—*(Irónico.)* ¿Pero, por qué, pobre chica? ¿Qué te hizo?

(El PROFESOR toma el papel, se cala los anteojitos y lee.)

No está mal, correcaminos... No está mal. Claro que "abandonado como un niño en el desierto...". No es muy feliz. No, no. En principio, "abandonado como...". Olvidalo. En 1924 Neruda escribió "abandonado como los muelles en el alba". No es una genialidad, pero hay que superar esa imagen.

ANTONIO—Pero yo no voy a escribir un buen poema...

PROFESOR—¡Pero Cecilia te lo va a exigir!

(Sigue leyendo.)

Mierda... mierda... *(Lo mira compasivamente.)* ¿Cómo se puede poner la palabra "azabache"? Deberían prohibírsela hasta a los vendedores de artesanías. *(Lee y se detiene.)* "Desde la profundidad de tu mirada oscura..." *(A ANTONIO.)* Si es profunda es oscura. *(Tacha, escribe y al mismo tiempo dice:)* "Desde la profundidad de tu mirada azul..."

ANTONIO—*(Protesta.)* Pero Cecilia tiene los ojos oscuros...

PROFESOR—¡Y qué carajo importa Cecilia! ¡Estamos hablando de poesía!

(Sigue leyendo.)

Alta mierda… alta mierda… *(Se detiene y explota.)* ¡¿Qué es esto?! ¿Lunas redondas? ¿Las tetas? ¿Las tetas dos lunas redondas? ¡Es deplorable! André Breton escribió: "Mi mujer con senos de crisol de rubíes. Con senos de espectro de la rosa bajo el rocío". ¿Cómo podés llamarlas lunas redondas?

Antonio—*(Molesto.)* Para mí son dos lunas redondas…

Profesor—*(Indignado.)* ¡Entonces poné las tetas de Cecilia! ¡Las grandes tetas de Cecilia! ¡Y dejémonos de joder!

(Estruja el papel y lo tira.)

¡Esto es mierda! ¡Pura mierda!

(Antonio ha quedado resentido. El Profesor bebe. Lo mira un instante. Luego dice:)

¿Para qué le escribiste un poema si podés hacerle el amor?

(Ahora es Antonio el que bebe y se toma su tiempo para decir:)

Antonio—Usted está enamorado de Cecilia.

(El Profesor lo mira. Por primera vez no sabe qué contestar.)

Yo le pregunté a Cecilia si estaba enamorada de usted.

Profesor—¿Y qué te contestó?

Antonio—Que no. Entonces le pregunté: pero estuviste enamorada de él. "Estuve enamorada del misterio", me contestó. ¿Qué me quiso decir?

Profesor—Esa pendeja es una hija de puta. Sabe mucho.

Antonio—Yo no sé si no está enamorada de usted.

Profesor—Ya no. Cuando ella escribió el poema mató el misterio. Ya no.

(Se hace una pausa prolongada. El Profesor bebe, profundamente angustiado.)

En definitiva, un escritor se apasiona con la realidad sólo cuando le sirve para escribirla. Y, cuando la escribe, deja de apasionarlo. Se acabó el misterio.

(El Profesor se toma su tiempo para decir:)

Y ahora andate, que tengo que trabajar.

(Antonio va hacia el bar. Se sienta junto a la mesa donde permanecerá en la actitud de quien espera a alguien. Está tranquilo. El Profesor comenzará a recoger los papeles que fue tirando al piso

durante la obra. Los revisa. Se sirve un vaso de ginebra y bebe. Mira los papeles y anota. De pronto exclama, alegre:)

¡Claro...! Cuando Julia revela su amor por el teniente de húsares, se acaba el misterio. El tutor deja de amarla. Se libera de su amor. Se libera. Porque se acabó el misterio. Ahí está todo. *(Pausa.)* Como dijo Prevert: "Sólo amo a aquéllos que me aman".

(El PROFESOR escribe frenéticamente. Lee lo que escribió.)

Y el Tutor se preguntará... "¿Cómo pude, alguna vez, amar a Julia?"

(El PROFESOR está feliz. Mira a ANTONIO y le dice:)

Podés copular con Julia hasta el día de tu muerte.

(Vuelve al papel. Su rostro se ensombrece.)

¿Y para qué me sirve? En el mejor de los casos, será un cuento genial.

(Se toma su tiempo para decir algo que, a esta altura de su vida, es la más dolorosa de las conclusiones:)

¡Me cago en la literatura!

FIN

~ ≈ ~

Sabina Berman
Entre Villa y una mujer desnuda

El teatro de Sabina Berman se ha constituido en uno de los fenómenos más destacados del mundo latinoamericano en décadas recientes. A partir de los 70 cuando ella estrena sus primeras obras, deja clara evidencia de un talento extraordinario. En obras posteriores, se ha confirmado ese talento para escribir un teatro postmodernista que capta la esencia de un mundo histórico, político, cultural y aun religioso, en el que las vicisitudes humanas (el poder, la corrupción, la avaricia, etc.) dominan sus conceptos dramáticos.

Berman nace en México en 1955 en el seno de una familia de origen judío-polaco. Es licenciada en psicología por la Universidad Iberoamericana; su madre es una de las psicoanalistas más conocidas en México, y de fama internacional. Berman trabajó en la revista *Siempre* y el diario *La Jornada* hasta establecerse como escritora y ser reconocida a nivel nacional. Estudió dirección escénica en el CADAC (Centro de Arte Dramático A.C.) con Héctor Azar y fue asistente de dirección de Abraham Oceransky y actriz en varios de sus montajes. Participó en el taller de poesía de Alicia Reyes en la Capilla Alfonsina. Berman ha recibido el Premio Nacional de Bellas Artes en cuatro oportunidades, y es la única persona en la historia literaria mexicana que lo ha logrado.

Su primera obra importante es *Bill* (después *Yankee*), de 1979, en la cual un gringo, veterano de la guerra de Vietnam, sigue sufriendo las angustias de su experiencia bélica. Bill vive en México con un matrimonio, en el cual la mujer le presta más atención a él que a su propio marido. En este caso, el marido resulta ser la víctima de la violencia de Bill. *Rompecabezas*, escrito en 1981 con el título *Un buen trabajador de piolet*, es efectivamente un rompecabezas sobre el enigma que ha rodeado la muerte de León Trotsky en la ciudad de México, e indica, al mismo tiempo, el temprano interés de Berman en la historia. *Herejía* (1984), premio nacional de teatro del INBA (Instituto Nacional de Bellas Artes), conocida después como *Anatema* o *Marranos* y en su versión más reciente, *En el nombre de Dios*, sucede en la ciudad de México en tiempos de la colonia y enfoca la vida de la familia judía Carvajal. Frente a la opresión religiosa que existía en México durante aquel tiempo, la familia se ve forzada a renunciar a sus raíces y a sus creencias; pero, al final, se descubre la verdad y la familia entera muere a manos de la Santa Inquisición. Desde el comienzo se nota en Berman la propensión a cambiar los títulos de sus obras en versiones posteriores. Este fenómeno va paralelo a la tendencia en la época postmoderna a re-escribir los hechos de la historia en un constante proceso de revisionismo. Otro ejemplo es una de las primeras obras de Berman, *El jardín de las delicias* (1978), que más tarde será conocida como *El suplicio del placer.*

Muerte súbita (1988) se asemeja a *Yankee* en cuanto a los personajes, como así también en lo referente a la situación y el tema del encuentro entre culturas. Un novelista de clase media alta y su esposa, una modelo, viven en un departamento de paredes y techos derruidos. Un viejo amigo del mundo de las drogas, recién salido de la cárcel, invade el espacio particular de la pareja, con trágicas consecuencias. El intruso, también escritor de cuentos, hiere a su amigo burgués después de una serie de complicados juegos sexuales. Es otra manifestación de la temática de la barbarie y la civilización en un ambiente mexicano. *Aguila o sol* (1985), obra escrita por encargo, es una re-elaboración no realista de la conquista española tras la llegada de Hernán Cortés a México, y enfocada desde el punto de vista de los aztecas.

Berman se preocupa de los problemas de su realidad social, especialmente aquéllos que se centran en la mujer, en el sexo, y en los roles. Ella cuestiona lo inmutable de la realidad y la confiabilidad de los hechos históricos. Se aprovecha de la ironía, de la parodia y de un humor sutil e irónico para mitigar la seriedad de los temas que trata. Es una concepción muy original del proceso creativo. Se destacan los rasgos poéticos con el empleo de un discurso que indaga constante-mente en los roles que se les atribuyen a ambos sexos. Los textos mismos proponen ser contemplados desde diferentes puntos de vista.

Como escritora sumamente comprometida con su entorno, Berman ha escrito obras ligeramente disfrazadas que tratan la crisis político-económica de México, como *Krisis* (1996), pieza que tardó casi un año en estrenarse al no encontrar una sala para su representa-ción. La escena inicial de la que participan unos chicos con una criada, resuena al episodio histórico del entonces joven Carlos Salinas de Gortari, más tarde Presidente de la República, quien, aparentemen-te, mató a la empleada de la casa a raíz de una querella doméstica. *La grieta* (1996) se vale de una escenografía complicada en la que se pone de relieve una grieta movible en el techo de un edificio a punto del colapso, como resultado de una construcción pésima, por el robo de los materiales esenciales que debían usarse al levantar el edificio. Como metáfora de un sistema político y económico también en gran desorden, la obra señala, de una manera grotesca, mediante el ir y venir rápido de los personajes a través de las tres puertas que se encuentran al fondo de la escena, lo absurdo de la política mexicana y la corrupción existente, que llega a dimensiones exageradas.

Las obras más recientes de Berman incluyen *Molière* (1998), dramatización de un conflicto entre dos visiones diferentes de la vida —lo cómico y lo trágico— expresadas teatralmente por las grandes figuras de Molière (la comedia) y Racine (la tragedia) durante la época de Luis XIV. *Feliz siglo nuevo, Doktor Freud* (2000), basada en *El caso Dora*, presenta una nueva imagen de Freud, su genio y su tragedia, y su influencia enorme durante el siglo XX. Su pieza *65 contratos para hacer el amor* (2000) es una obra ingeniosa basada en la alternancia de parejas muy eclécticas, siguiendo el modelo establecido por Schniztler en *La Ronde*.

Sabina Berman es una escritora enormemente versátil. Su teatro para niños incluye *La maravillosa historia del chiquito Pingüica* (1983), pieza que ganó el Premio Nacional de teatro para niños del INBA, además de *Caracol y colibrí* (1988) y *El árbol de humo* (1994). Ha escrito crónicas, como *Volar la tecnología Maharishi del campo unificado* (1987, 1992); una novela, *Un grano de arroz* (1994); poemas, *Poemas de agua* (1986); y una narración biográfica sobre su relación con su abuela, *La Bobe* (1990). Además, tiene una cantidad de obras teatrales no mencionadas hasta ahora: *Esto no es una obra de teatro* (1975*); La reacción* (1982); *Los ladrones del tiempo* (1991), *El gordo, la pájara y el narco* (1994); *Dientes* (1994), *El pecado de tu madre* (1994), y *Amante de lo ajeno* (1997). Ha publicado *Mariposa* (1974), Premio Pluridimensional Juguete; *Ocho cuartos igual a dos humores* (1975), Premio Pluridimensional Máscara; y *Lunas* (1988).

Las inquietudes postmodernistas de Berman la llevan a explorar los valores culturales, la historia y la sexualidad. La obra incluida en el presente tomo, *Entre Villa y una mujer desnuda*, se estrenó en el D.F. en 1993. Publicada poco después y luego filmada en México en una versión dirigida por la misma autora, es, sin lugar a dudas, la obra que mejor capta toda la esencia de la dramaturgia bermaniana. Jugando con la sexualidad, la división de los sexos y la Revolución Mexicana, Berman nos entretiene al mismo tiempo que nos obliga a enfrentarnos con las concepciones tradicionales del machismo, de la historia, y de la mujer moderna en México. Como ella explica en una entrevista publicada en *Elle*, "Al machismo mexicano hay que combatirlo a golpes de metáforas, llenas de amor, de pasión, y con un lenguaje de ensueños" (46).

La obra consta de cuatro actos, una estructura que desafía las fórmulas tradicionales, pero que corresponde a las cuatro etapas de la relación Gina/Adrián. El conflicto principal se desarrolla entre Gina, una mujer inteligente e independiente, y Adrián, profesor de historia y escritor de novelas sobre la Revolución Mexicana. Gina y Adrián tratan de establecer los parámetros de una relación moderna y abierta. Ellos buscan su propia identidad dentro de una nueva realidad. Pasan por distintos procesos en su relación de pareja: de dependencia/independencia, falta de comunicación, crisis de la mediana edad, en la búsqueda de algo más tangible. Adrián sabe exactamente lo que quiere: tener una relación sexual con Gina, en cualquier momento. Es decir, él llega a la casa de ella en un horario muy irregular pero Gina siempre está dispuesta a recibirlo. Poco a poco, sin embargo, Gina comienza a rebelarse contra la actitud machista y abusiva de Adrián. Primero pide, luego demanda, una relación más estable, más permanente. El contraste notable entre la masculinidad agresiva y estereotípica de Adrián y la actitud suave y compasiva (algo feminizada) de Ismael es, a fin de cuentas, lo que motiva la acción dramática. Gina no aparece en el acto final porque se ha ido con Ismael, una acción totalmente desconcertante, que roza lo increíble, para Adrián. Sus intentos de buscar consuelo con Andrea lo llevan a una frustración completa porque no corresponden a los mismos parámetros. Hacia el final, resulta irónica su incapacidad sexual que pone en evidencia las nuevas circunstancias por las que atraviesa su vida.

Las intervenciones de Pancho Villa están ligadas al carácter de Adrián y representan las mitologías que existen dentro de la cultura mexicana. Esta obra postmodernista invierte la estructura tradicional. La intervención directa de Pancho Villa, máximo exponente del machismo mexicano, gran mujeriego e idealista de la Revolución, sirve para mostrar que no ha cambiado nada durante el siglo. Sus descendientes "están igual de chingados como él de escuincle" (p. 112), lo cual pone de manifiesto que la Revolución falló en sus propósitos. Plutarco Elías Calles, el abuelo de Andrea, puso en marcha ciertas políticas que llevaron a la destrucción de Zapata y Villa. Por otra parte, las maquiladoras y el uso del inglés son sólo dos signos de que no todo está funcionando bien en México.

La Revolución Mexicana que brotó en el año 1910 podía haber sido el vehículo para solucionar los problemas intrínsecos del sistema mexicano. Con una rápida sucesión de líderes no se cuajaron los intereses populares. La famosa novela de la Revolución, *Los de abajo* (1915) de Mariano Azuela, confirmó en la literatura lo que se reconocía en la calle: que los de abajo, cuando llegan al poder, se aprovechan de igual manera que los de la clase alta. El idealismo de Pancho Villa se combina aquí con unas tendencias marcadas hacia la violencia, igual que en su vida real cuando por motivos de revancha invadió a Estados Unidos con sus tropas cerca de Columbus, Nuevo México, y mataron a 16 ciudadanos norteamericanos.

Berman explora muchas facetas de la vida contemporánea en México aun cuando no intenta dar soluciones a todos los problemas complejos que propone. Su teatro expresa la desilusión con los viejos sistemas tradicionales de México: el machismo desenfrenado, la discriminación contra la mujer, la corrupción como norma de la vida política. A la vez, expresa una fuerte confianza en la habilidad de la mujer para seguir un nuevo camino. Aprovechándose del humor, tanto lingüístico como situacional, la parodia y la sátira, Berman utiliza ciertos símbolos con mucha destreza. En esta pieza, por ejemplo, el té, como nos ha indicado la profesora Magnarelli en su artículo, subraya el contraste entre las actitudes fundamentales de Gina y Adrián. Berman, con su fino sentido de la psicología, sabe crear personajes que fascinan al mismo tiempo que nos revelan verdades básicas sobre la vida y la cultura mexicanas y los valores más universales.

～ ≈ ～

SABINA BERMAN

ENTRE VILLA
Y
UNA MUJER DESNUDA

(1992)

para Isabelle, again and again

Personajes

Gina, hacia los 40 años
Adrián, 45 años
Andrea, entre 30 y 45 años
Villa
Ismael, como de 22 años
Mujer
Doña Micaela Arango
(Andrea también es la Mujer)

Entre Pancho Villa y una mujer desnuda se estrenó en 1993 en el Teatro Helénico de la ciudad de México, bajo la dirección de Sabina Berman, con la producción de Isabelle Tardan y Sabina Berman. La escenografía fue de Carlos Trejo.

Gina, Diana Bracho

Adrián, Juan Carlos Colombo

Andrea, Laura Almela

Villa, Jesús Ochoa

Ismael, Gabriel Porras

Doña Micaela Arango, Evelyn Solares

La primera puesta permaneció en cartelera dos años y meses. Se cerró cuando inició la filmación de la película basada en ella.

Gina no tiene que ser especialmente atractiva, pero uno desearía de inmediato tenerla de amiga. Sus ademanes son suaves y en general tiende a conciliar su entorno. Si en las escenas de esta historia pierde el buen juicio con cierta frecuencia —se vuelve brusca o comete locuras—, es porque circunstancias extremas están desequilibrando su natural gentileza.

Adrián tampoco tiene que ser especialmente atractivo, pero cualquier mujer desearía invitarlo a cenar y averiguar si es cierta esa sensualidad que se le entrevé por la corteza sobria y áspera. Tiene una elegancia calculadamente descuidada, tan común en los carácteres intelectuales sofisticados, y una labia hipnótica. De pronto el discurso político puede literalmente poseerlo y entonces habla rápido y fervientemente.

Andrea es una mujer directa. Se parece al expresidente Plutarco Elías Calles, en los gestos, la facha y la inteligencia. Si esto parece indicar que no es una mujer atractiva, lo primero es invitar al lector a revisar las fotografías del guapo Plutarco; lo segundo es asegurar que tiene un encanto físico y una divertida tendencia mental a la ironía. Y por supuesto Andrea es la socia ideal para cualquier empresa que requiere energía y decisión.

Ismael es un joven bien fornido. Cuando está cerca de Gina tartamudea y suspira y clava la mirada lánguidamente, pero con cualquier otro mortal luce una desenvoltura que a veces se rebasa hasta la insolencia. Suele ir con pantalones vaqueros muy gastados y tenis y lleva en la oreja derecha una aracada de plata.

Villa es el Villa mítico de las películas mexicanas de los años cincuentas, sesentas y setentas. Perfectamente viril, con una facilidad portentosa para la violencia o el sentimentalismo.

~ ≈ ~

La Puesta

Para el estreno de *Entre Villa y una mujer desnuda* se diseñó un espacio que siendo la sala del departamento de Gina podía ser sin ningún cambio físico los otros lugares que plantea la obra.

Las escenas donde aparece Villa pueden sin problema realizarse en la sala, en un juego escénico que permite convivir dos tiempos históricos. Sin mayor explicación Villa y la Mujer de época revolucionaria pueden tomar té en esa sala contemporánea. Igualmente Villa y su madre pueden pasearse por la sala, usando el espacio como si se tratara de campo abierto; de ahí que sean plausibles las acotaciones que indican que Gina al fumar un cigarro en su sala echa el humo sobre Villa y Villa comenta que hasta ahí llega el humo del campo de batalla, o que Villa toma de la mesita donde Gina escribe a máquina la botella de tequila y beba de ella.

En el primer acto la parte posterior de la sala se convertía en un dormitorio cuando allí se deslizaba una cama donde Gina y Adrián, acostados, conversaban; al mismo tiempo en la parte de la sala más próxima al proscenio Villa y la Mujer toman té.

La forma del plano de la sala era, esquemáticamente, una cruz: un área donde estaba el sofá, al frente; en medio un pasillo entrecho, en cuyo extremo izquierdo se encontraba la puerta principal y en cuyo extremo derecho estaban los dos arcos, accesos a la cocina y el dormitorio; atrás otra área de sala, dominada al fondo por un ventanal de medio arco.

Asimismo la parte posterior de la sala, mediante un efecto de luz y sonido que evocaba la lluvia se convertía en la entrada al edificio de Adrián; el ventanal giraba para ser el portón con su interfón.

A la directora le pareció entonces imprescindible la cercanía del acceso a la cocina con el acceso al dormitorio, dadas las entradas y salidas rápidas de los personajes que se plantean en el primer acto.

~ ≈ ~

I

Época actual

A. *Un departamento en la colonia Condesa de la Ciudad de México: Una sala con al menos estos elementos: un ventanal grande, un sofá, una mesita baja, un taburete; puerta principal y accesos a la cocina y al dormitorio.*
Un dormitorio.

B. *Entrada a un edificio de departamentos*

∼

1. *(ANDREA y GINA toman té en la sala.)*

GINA—Cada dos o tres semanas.
ANDREA—¿Dos o tres semanas?
GINA—O cuatro días.
ANDREA—Ya.
GINA—Llama por teléfono antes de venir.
ANDREA—Ay, qué hombre más amable.

(GINA enciende un cigarrillo largo y negro.)

GINA—Dice: Estoy a una cuadra de tu departamento, ¿puedo verte? O: estoy en la universidad, necesito verte. O: hablo del teléfono de la esquina, ¿me recibes? Siempre lo recibo.
ANDREA—Ya.
GINA—Le abro la puerta —hay un cierto ritual. Le abro la puerta, se queda en el umbral, me mira. Me mira... Luego, se acerca: me besa. *(Se toca los labios.)*
ANDREA—Tú a él no.
GINA—No. Tiene que pasar un momento, o dos, o tres, antes de que algo... algo: el sentimiento, me regrese de la memoria. Entonces subo la mano a su cabello y... hasta entonces se me abren.
ANDREA—Se te abren... ¿qué?
GINA—Los labios. La crema. Se me olvidó la crema. *(Sale a la cocina, llevándose su taza.)*
ANDREA—Los labios. ¿Cuáles?

(Suena la campanita de la puerta principal.)

2. *(*GINA *abre la puerta. Es* ADRIÁN, *en su impermeable beige, gastado por una decena de años de amoroso uso, el hombro contra el quicio. Se miran.*

ADRIÁN *estrecha a* GINA *por la cintura y la besa en los labios, mientras la encamina al dormitorio. Pasa un instante, dos, tres, antes de que la diestra de ella suba a la melena cana de él, y ahí se hunda.*

Antes de cruzar el quicio del dormitorio él la levanta en sus brazos, salen.)

3. *(Mientras* GINA *regresa de la cocina con la cremera:)*

ANDREA—Directo a... *(Hace un gesto que implica hacer el amor.)* Eso es lo que se llama un hombre directo. Aunque dices que ya dentro de la cama es menos... O más... Bueno, ¿cómo dices que es?

GINA—No, ya dentro es... ay Dios... *(Vierte la crema desde quince centímetros de altura, larga, lentamente.)* Ya dentro es...

ANDREA—¡Mmmhmm! ¡Mhmhmm! Así está bien (de crema), gracias.

GINA—La Gloria, Andrea. Ya dentro es la Gloria.

ANDREA—¿Entonces cuál es el problema?

GINA—El problema es cuando llega.

ANDREA—Claro, cuando llega y así *(Truena los dedos.)* te da la espalda, y ni quién te ayude a ti porque él ya está dormido. Te digo qué: se llama "mucha madre"; lo aprenden con sus mamás, que les dan todo sin pedir a cambio nada.

*(*GINA *la mira molesta.)*

ANDREA—¿Qué? ¿No tuvo mamá?

GINA—No es eso. El problema, dije, es cuando llega...

ANDREA—¿...Ajá...?

GINA—Aquí al departamento.

ANDREA—Ah, aquí al departamento.

GINA—Antes pues de hacer el amor.

ANDREA—Oh, antes.

GINA—Sí, aquí en la sala, se inicia esta lucha ridícula. Él tratando de llevarme inmediatamente a la cama y yo tratando de sentarlo para tomar un té.

ANDREA—¿Te quieres casar?

GINA—¿Casar con él? No. No. *(Se ríe.)* No. *(Seria.)* No. Para nada. En serio. No.

ANDREA—¿Porque ya está casado?

GINA—No. Aunque no lo estuviera. De veras.

ANDREA—Y si no te quieres casar con él, ¿para qué quieres tenerlo sentado en la sala?

(Al detenerse a pensarlo GINA se va enojando.)

GINA—Quiero tomarme un té con él, ¿es un pecado?

ANDREA—Tomar un té, en principio, es saludable.

GINA—Carajo, se me olvidó mi té. *(Sale a la cocina, llevándose la charola con el juego del té.)*

ANDREA—*(Luego de probar su taza.)* ¿Por qué se llevó todo? Esta mujer está muy nerviosa.

(Suena fuera un teléfono.)

4. (GINA entra hablando por teléfono.)

GINA—¿En dónde estás? *(Pausa breve.)* En el aeropuerto ¿de aquí? *(Pausa breve.)* ¿Te vas o llegas?

ANDREA—¿Gina…?

GINA—Tenía una cita con mi socia… Pero no importa: ven.

ANDREA—¿No importa?

GINA—Sh.

ANDREA—Ni quién te ayude.

GINA—*(Pausa breve.)* Pero en tres cuartos de hora llegas aquí. *(Pausa breve.)* Sí, también yo. También yo…. También… Ay Vida, tambié…

(ANDREA sale por la puerta de la cocina. GINA se queda teléfono en mano respirando densamente.

Suena la campanita de la puerta principal.)

5. (GINA *cuelga y va a abrir la puerta. Es* ADRIÁN, *el hombro recargado contra el quicio, en impermeable, a un lado ha dejado su maleta. La mira largo, fijamente. Hay algo desamparado en su expresión.*)

ADRIÁN—(*Quedo, grave.*) ¿Puedo…?

GINA—Sí.

ADRIÁN—¿Segura?

GINA—Sí.

ADRIÁN—Me muero si un día me dices: no, ya no, ya nada.

GINA—O si tú ya no llamas: yo me muero.

ADRIÁN—No, *yo* me muero.

GINA—Está bien: si no me llamas, muérete.

ADRIÁN—Está bien.

(ADRIÁN *abraza a* GINA *por el talle y la besa en los labios; retroceden hacia el dormitorio besándose. Pasa un momento, tres, ella sube la diestra a su melena. A un paso del dormitorio él la levanta en brazos, pero* GINA *se acuerda de sus propósitos y salta al piso.*)

GINA—Espérate. Vamos a tomar un té.

ADRIÁN—¿Un qué?

GINA—Hace un mes que no te veo, carajo.

ADRIÁN—Por eso.

GINA—*Por eso.* (*Zafándose y entrando a la cocina.*) Bueno, cuenta.

ADRIÁN—(*Yendo a colgar su impermeable en el perchero.*) ¿Cuento qué? Te dije: estuve en Toronto. ¿No te dije? Te dejé un recado en tu contestadora, hace un mes. Y estuve un mes fuera. Di unas clases. Un curso.

GINA—¿De?

ADRIÁN—¿De? De historia de la Revolución Mexicana. ¿Y el té?

GINA—(*Que recién ha salido de la cocina.*) El agua tarda en hervir.

ADRIÁN—¿Ah, sí?

(*Gina va a sentarse al sofá.*)

GINA—Toronto que queda en el sur de Canadá. En la frontera de los Estados Unidos.

ADRIÁN—Junto a las Cataratas del Niágara.

GINA—Fíjate. Así que hasta ahí se interesan por la Revolución Mexicana.

ADRIÁN—Gina, necesito... sentirte... que me toques...

GINA—Ven, siéntate. ¿No podemos platicar como si fuéramos seres humanos?

(ADRIÁN lo piensa. Va a sentarse al sofá, pero GINA extiende en el sofá las piernas para ocuparlo entero. Resignadamente ADRIÁN toma asiento en un taburete.)

GINA—¿Y cómo las encontraste, a las Cataratas del Niágara?

ADRIÁN—¿Cómo las encontré? Le dije al taxista: lléveme a las Cataratas.

GINA—Pero ¿cómo las encontraste, burro?

ADRIÁN—Ah, pues... son unas caídas de agua... ...imponentes, ésa es la palabra: imponentes. ¿Sabes?: toneladas de agua por segundo cayendo...

GINA—*(Interrumpiéndolo.)* Las conozco. Estuve allí con Julián, hace diez años.

ADRIÁN—*(Molesto.)* Con Julián... ¿Y la pasaron bien?

(Silencio: la plática se ha agotado.
ADRIÁN se cambia al sofá, apasionado, dispuesto a besarla.)

ADRIÁN—Me encantas, me encantas. Sueño contigo.

(Suena el silbido de una tetera. GINA se apresura a la cocina.)

ADRIÁN—¡¡¿A dónde vas?!!

GINA—¡¡El té!! ¿No íbamos a tomar té? *(Desde la cocina.)* ¿Trabajaste en lo de Villa?

ADRIÁN—La monografía de Villa. Sí. Va bien. La verdad llevo las notas sobre Villa a todas partes. Estoy en una reunión del consejo del periódico, y discretamente estoy dibujando en mi cuaderno sombreritos norteños. Pienso en Villa hasta dormido. Pero la verdad, en este momento quisiera descansar de don Pancho Villa, si no te importa.

(Pausa.)

Es decir: empecé ya a trazar el esquema del libro. Es lo que menos me gusta. Lo que quisiera es ya estar... ¿cómo decirlo?, montado en el tema. Concretamente quisiera ya estar cabalgando con el Centauro rumbo a la ciudad de México. Villa seguido de la División del Norte. Un ejército resbalando hasta la ciudad. Un ejército de desharapados: un pueblo de desharapados precipitándose sobre la "Ciudad de los palacios". Todos estos cabrones muertos de hambre viniendo a cobrarse lo que es suyo de los politiqueros burgueses y perjumados y jijos de la chingada.

Bueno, va a estar mejor escrito que como lo cuento. En fin, hablemos de otra cosa.

Aunque no mucho mejor escrito. No escrito con delicadezas, mariconerías lingüísticas. Quiero hacer sentir toda la violencia del asunto: quiero que mi libro huela a caballo, a sudores, a pólvora, ¿y el té?

(Gina ha regresado a tomar asiento en el sofá.)

Gina—Está infusándose.
Adrián—In-fu-sán-dose. Qué fascinante.
Gina—¿Cómo está Marta?

(Pausa incómoda.)

Adrián—*(Luego de carraspear.)* No las he visto. Digo: hace cuatro semanas que no las veo. Estuve en Toronto, recién te dije. *(Se suaviza.)* Están bien, perdón, ayer hablé con Marta de larga distancia, la niña estaba dormida pero supongo que está bien. Hoy en la noche las veo. Gina: no sé porque me hablas de mi hija y su madre. Me... incomoda.

Gina—Porque me habló Marta.
Adrián—¿Te habló a ti?
Gina—No le diste el dinero de abril para la niña.
Adrián—Ya sé, pero no tiene porque meterte... ¿Cómo está tu hijo?
Gina—Bien. Iba a venir de vacaciones pero prefiere quedarse estudiando en Boston, para los exámenes.
Adrián—Gina, yo ya no vivo con esa mujer. Son asuntos del pasado, ruinas del pasado. Me crees, ¿no?
Gina—Yo te creo todo.
Adrián—Pues haces mal. Soy un desobligado. Abandono lo que más amo. No sé por qué. Lo sabes, es evidente: llevo dos matrimonios

fracasados, pero quieres no saberlo. Quieres cambiarme. Más fácil sería que me cambiaras por otro hombre.

GINA—¿Qué opinas de las elecciones en Oaxaca?

ADRIÁN—¿Esto es lo que tú llamas una plática natural?

GINA—Esto es lo que llamo una plática ligera.

ADRIÁN—Los dinosaurios priistas, la maldita derecha y nosotros impugnamos la elección en Oaxaca; hubieron madrazos en las calles y dos muertos.

GINA—Entonces cuéntame de tus alumnos.

ADRIÁN—Peor. Puro pendejete reformista.

GINA—O deja que te cuente como va la maquiladora.

ADRIÁN—No. No me interesa tu trabajo.

GINA—Ah vaya: mi trabajo *no* te interesa.

ADRIÁN—No. Sinceramente, no. Especialmente no cuando estás montando una maquiladora, es decir cuando te afilias al vendaval neoliberal que está desgraciando a este país.

GINA—Estamos dándoles trabajo a la gente.

ADRIÁN—Están esclavizándolos. Por algo tu socia ¿cómo se llama?

GINA—Andrea Elías.

ADRIÁN—Elías Calles: nieta del máximo traidor a la Revolución.

GINA—Si la conocieras...

ADRIÁN—La asesino. Como voy a asesinar veinte veces a su abuelito en mi libro.

GINA—*(Conciliadora.)* Adrián, la intención es tener una plática natural, ¿no entiendes?

ADRIÁN—Entiendo, pero no se puede.

GINA—Siquiera trata, Adrián de mi vida.

Adrián—*(En una descarga rápida.)* Es que no se puede, Corazón. No hay nada que sea humano y natural al mismo tiempo. Somos la única raza animal con memoria, por lo tanto con Historia, por lo tanto con acumulación de costumbres. Llevamos algo así como 8 000 años acumulando costumbres. Ergo: natural como natural es una imposibilidad; natural como pautas automatizadas es no solo posible, es por desgracia un poco menos que inescapable.

GINA—Eres imposible.

ADRIÁN—Así es. Y te deseo.

(Rápido, traslapado.)

GINA—Y yo también te deseo.

ADRIÁN—¿Entonces...?

GINA—Podemos seguirnos deseando, deseando serenamente...

ADRIÁN—Cuatro horas de avión y una de taxi deseándote...

GINA—Serenamente. Antes de...

ADRIÁN—¿De qué?

GINA—De matar el deseo como un animal.

ADRIÁN—Estás educándome.

GINA—Sí.

ADRIÁN—Ah.

GINA—Es que ya estamos haciendo el amor.

ADRIÁN—¿En serio?

GINA—Hablando, mirándonos, deseándonos de lejos, ya estamos haciendo el amor.

ADRIÁN—Es que el amor de lejos...

GINA—¿Listo para tomar el té?

ADRIÁN—Gina... Es que el amor de lejos, hoy empecé a hacerlo contigo a las nueve de la mañana, cuando me desperté pensando en ti aquí *(la cabeza)* y aquí *(el corazón)* y aquí *(el sexo)*. Llego al aeropuerto, y antes de abordar, en el umbral electrónico me piden que deposite mi maleta de ropa, mis llaves, mi cinturón de hebilla grande, me quito todo eso y siento que ya estoy desvistiéndome en tu cuarto... Y en el avión me parece que todo el avión, estoy sentado en la última fila, y siento que el avión entero, el Jumbo entero, es mi tremenda... erección... Y que el cielo en el que estoy penetrando y penetrando y penetrando eres tú y tú y tú... cinco horas sin escalas... Y las nubes arriba son tus ojos en blanco y abajo tus piernas abiertas son la Sierra Madre Oriental... Así que si no me permites tocarte ahora, te advierto: puedo enfermarme, puedo explotar, y enloquecer para siempre.

GINA—Dios santo, qué labia tienes. *(Se encamina al dormitorio, desvistiéndose...)*

ADRIÁN—*(Saliendo tras ella.)* No, no, no. Labia, labia la tuya, mi vida.

(Salen al dormitorio.)

6. *(Entra en la estancia, con aire desconfiado, don* Pancho Villa. *Lleva al hombro sus cananas, su revólver. Entra una* Mujer, *vestida a la usanza de principios del siglo XX, con una charola en la que trae el servicio del té.)*

Mujer—Siéntese, mi general. Ésta es su casa.

Villa—*(Mirando su entorno.)* Ah chinga'os.

(La Mujer *se arrodilla para dejar en la mesita baja la charola.)*

Mujer—Le sirvo té. Es té de tila. ¿O prefiere un café?

Villa—*(Yendo a sentarse frente a ella.)* ¿Por qué no? Prefiero un café.

Mujer—Es bueno el té de tila para los nervios, mi general. Los apacigua. Luego uno piensa cosas muy buenas.

(Va deslizándose en otro sector una cama. Gina *y* Adrián *están sentados contra el espaldar.)*

Villa—Pos eso mismo me da prevención. No me vayan a quedar los nervios lacios, lacios, lacios... y entonces ni con humo me saca de aquí de su casa.

Mujer—Ay mi general, pues quién quiere que se vaya.

Villa—Es usted muy bonita.

Adrián—Era una mujer muy bonita.

Villa—Muy educadita. Muy refinada. Hija de familia, como se dice. Por usted, hasta ganas dan de adormilarse.

Gina—Entonces, el general se bebió el té de tila de un solo trago.

Adrián—No, no podía. Hizo así como si se lo sorbiera. Nunca comía ni bebía nada que su sargento no hubiera probado y resistido antes. A Villa lo habían tratado de envenenar muchas veces. Nada más como si lo sorbiera hacía, estaba ganando tiempo.

Gina—*(Quedito.)* Pásame las gomitas.

*(*Adrián *toma una gomita y le pasa la bolsa a* Gina.*)*

Adrián—*(Con la gomita en la boca.)* Sí, nada más le ganaba tiempo al tiempo...

Gina—¿Tiempo para qué?

ADRIÁN—Tiempo para ver a la mujer, para gozarla despacito, y para decirle adiós. Por que esa mujer no iba a ser suya. Al menos no como las otras tantas mujeres que tuvo el general.

GINA—Trescientas tuvo.

ADRIÁN—Las cifras se pierden en lo mítico.

VILLA—Es usted, de veras, requete bonita.

ADRIÁN—Era muy pero muy bonita.

VILLA—Es usted requete preciosa, qué recondenada suerte.

MUJER—Tómese el té, mi general.

GINA—Y luego se duerme entre mis brazos.

MUJER—Y luego se duerme entre mis brazos.

VILLA—El general Villa sólo duerme en brazos de la sierra y la noche abierta.

ADRIÁN—Cuestión de seguridad: nunca dormía bajo techo.

VILLA—Así que no es por desairarla, verdá de Dios. ¡Jijos de la Tiznada!: ¡es usté requete primorosa!…, pero contrarevolucionaria. Su papacito es general callista. Epigmeo Saldívar Saldaña se llama el muy méndigo, ¿que no?

GINA—Y bueno, qué importa. Ella es ella.

VILLA—Cómo se ve que siempre ha dormido usté en almohada blanda. Ni yo merito le impongo miedo. Ya me ve amaneciendo arrepechadito a usté, ¿no es verda'?

MUJER—Le sirvo más té, mi general. De tila.

(La mujer extiende el brazo para tomarle la taza. VILLA la observa. Y con la mano con la que no sostiene la taza, desenfunda la pistola y la mata.

GINA se queda boquiabierta.

VILLA sopla el humo del cañón de su pistola.

ADRIÁN se alza de la cama mientras VILLA se alza del sofá. Mientras Adrián discute con GINA y se viste, con movimientos extrañamente sincronizados a los de ADRIÁN, VILLA irá a quitarle los aretes a la MUJER, a cerrarle los ojos, y luego se pondrá sus cananas, preparándose para irse.)

GINA—¿Qué pasó? ¿Por qué la mató?

ADRIÁN—Porque tengo que irme.

GINA—¿Por qué?

ADRIÁN—Porque tengo que irme.

Gina—¿Pero por qué? Quédate a dormir.

Adrián—Tengo que irme.

Gina—Cenamos y te vas.

Adrián—...

Gina—Trabajas acá.

Adrián—No traigo con qué.

Gina—Pues trae con qué, la próxima vez. No te estoy pidiendo que te quedes a dormir, sólo que te quedes más tiempo. Adrián, quédate a cenar.

Adrián—No puedo, no puedo. No puedo.

Gina—Mándame lo que vayas escribiendo, para pasártelo en limpio.

Adrián—No puedo.

(Villa se cala el sombrero al tiempo que Adrián se cuelga al hombro su saco.)

Gina—Siempre yéndote, chingados.

Villa—Huyendo o atacando. Es el destino del macho, compañerita.

(Villa y Adrián se sobresaltan cuando se oyen la campanita de la entrada. Ambos, recelosos, se escurren de donde están: Villa fuera de escena, Adrián a la sala.)

7. *(Gina se pone una bata japonesa, va a abrir. Es Ismael, en un saco de marino y pantalones de mezclilla.)*

Gina—Hola Ismael, ¿cómo estás? Pasa, pasa. Éste es Ismael, Adrián. El amigo de mi hijo.

Adrián—Mucho gusto.

Gina—Trabaja conmigo en la tienda. Me diseña cubos.

Adrián—Cubos, ¿los diseña?, qué interesante.

Gina—Esos juegos de madera para los niños chiquitos, ya sabes.

Adrián—Ah claro.

Gina—Y nos está diseñando los cubos de la maquiladora.

Adrián—No me digas. Así que usted *diseña* cubos. Pues lo felicito. Lo felicito.

GINA—Y éste es Adrián Pineda, mi... este, eh... mi...

(ISMAEL tose.)

ISMAEL—Mucho gusto.

GINA—Mi buen amigo Adrián Pineda.

ISMAEL—*(Entusiasmado.)* Ah, Pineda: tú escribes, ¿no?

ADRIÁN—Escribo, sí.

ISMAEL—En el periódico.

ADRIÁN—Semanalmente.

ISMAEL—En el *Esto*, ¿no?

ADRIÁN—De ninguna manera. En *La Jornada*.

ISMAEL—*(Decepcionado.)* Ah. Bueno. Es otro Pineda. Creo.

ADRIÁN—*(Dándole la mano.)* Bueno, pues ha sido fascinante conocerlo, su arete es lindo, y...

GINA—Espérate un momento. Enséñanos los nuevos cubos, Ismael. Vas a ver qué bellas cosas hace este muchacho.

ADRIÁN—Yo te hablo, ¿está bien?

GINA—¡¡Espérate un mo-men-to!!

(ADRIÁN cruza adelante una mano sobre la otra, se espera estrictamente un momento.)

ADRIÁN—Yo te hablo. *(La besa en los labios, sale.)*

(Brusca, GINA cierra la puerta. Entonces se topa con la maleta de ADRIÁN. Abre la puerta en el momento que él toca el timbre, precisamente para pedirle la maleta, pero descortés, ella se la tira encima y cierra la puerta de golpe.

GINA se va entristeciendo. De una patada prende la grabadora. Así se prende la grabadora de Gina, suena un bolero romántico.

GINA se deja caer en el sofá. Así, en su bata de seda, el pelo revuelto, se está lánguida y ausente en el sofá. ISMAEL la observa desde hace unos minutos, absorto.

Pasa un rato hasta que GINA lanza un suspiro muy alto, ISMAEL tose. GINA se vuelve a verlo, sorprendida. Lo había olvidado.)

GINA— *(Lánguida, melancólica, melodramática.)* Ismael.

ISMAEL—¿S... sí?

GINA—Ismael, acércate...

ISMAEL—Sí.

GINA—...y enséñame... tus cubitos.

(ISMAEL se arrodilla junto a la mesita baja, empieza a sacar sus cubitos.)

(OSCURO LENTO)

II

1. (Aún está oscuro. GINA en su bata japonesa, sentada para escribir en máquina, consultando una libreta de Adrián.)

Gina—*(Tecleando.)* Noche... *(Se enciende en el ciclorama la noche.)* ...de luna... *(Baja en el ciclorama una luna redonda.)* ...llena.

(Entra al escenario DOÑA MICAELA ARANGO, una anciana con reboso, un cofrecito de joyas entre las manos, se congela. Mientras GINA se sirve un tequila, entra VILLA, se congela.
GINA teclea: VILLA y DOÑA MICAELA se avivan.)

DOÑA MICAELA—*(Tirando lo que menta por encima de su hombro.)* Aretes de canica de agua.

VILLA—*(Cachando las joyas.)* De ópalo.

DOÑA MICAELA—Anillo de...

VILLA—Ojo de tigre, amá. Aquellos pendientitos son rubíes...

DOÑA MICAELA—No me quiere asté, mi niño. En dieciocho años lo he visto cinco veces.

VILLA—Siete, mamacita.

DOÑA MICAELA—Cinco.

VILLA—Siete.

DOÑA MICAELA—Cinco, con una chingada.

VILLA—Está bueno, mamacita: lo que ordene y mande.

(GINA enciende un cigarro: VILLA se alarma.)

VILLA—¿Qué carajos...?

(GINA exhala un chorrito de humo sobre VILLA.)

VILLA—Ah: hasta aquí llega el humo del campo de batalla. *(Refiriéndose al tecleo de la máquina de escribir.)* Sí, como ese traqueteo: la maldita metralla... ¿Y qué, le placen, madrecita?

DOÑA MICAELA—¿Qué quiere que haga con esta riqueza? ¿Colgármela pa' pasear por la plaza, pa que todo mundo sepa y conozca que m'hijo es un bandolero?

VILLA—Un revolucionario, mamá.

DOÑA MICAELA—Usté sólo viene a verme cuando le queda cerca de una guerra, o otra de sus criminalidades.

VILLA—Ya me va a empezar a regañar...

DOÑA MICAELA—Aquí tenga esta arete de plata. Tiene una gota de sangre. Y aquí tome de una vez todo su oro, Panchito. Esta mamacita de usté es probe pero digna.

VILLA—Ayayayayay, qué hombre es mi amá.

DOÑA MICAELA—No, nomás hembra que ha parido.

VILLA—Cállense cerros, que mi madre habló.

DOÑA MICAELA—Pero es que la vida que llevas, siempre a salto de mata. ¿Quién le zurce los calcetines? ¿Quién se fija que su sarape esté limpio? Y si te duele una muela, ¿a quién le cuentas?

VILLA—Pos 'ai tengo unas cuantas señoras que me quieren...

DOÑA MICAELA—Pero ni una casada contigo por la Iglesia y ante Dios.

VILLA—Cómo no. Cinco casadas conmigo por la Iglesia y ante Dios.

DOÑA MICAELA—¡Jesús santo! *(Se persigna.)* ¡Nombres!

VILLA—¿Cómo dijo, madrecita?

DOÑA MICAELA—Quiero nombres, direcciones y apelativos de esas fulanas y de todas tus queridas. Las de ahora y las dendenantes.

VILLA—¿Qué dice madrecita?

GINA—Ay, perdón. Perdón, perdón, perdón.

(GINA regresa el rodillo y tacha: DOÑA MICAELA vuelve a sentarse y a su resignación, como si se regresara el tiempo. GINA vuelve a escribir.)

DOÑA MICAELA—¡Jesús santo! *(Se persigna.)* Entonces como si ni una. Porque si son cinco, no hay quien le lleve de cerca el registro, m'hijo. No hay quien lo cuide noche tras noche. No tiene con quien saber que va a morirse en sus brazos...

Villa—No llore 'ama, que entonces sí me quiebra...

(Y se quiebra Villa*: llora. Toma de la mesita de* Gina *la botella de tequila, bebe.* Gina *le toma la botella y también bebe, igualmente llorando.*

Sin darse a notar Ismael *aparece de espaldas en el quicio de la cocina, está arreglando unas rosas rojas en un florero.)*

Doña Micaela—*(Luego de enjugarse las lágrimas.)* ¿Y cuántos son ya mis nietos?

Villa—Muchos.

Doña Micaela—¿Cuántos?

Villa—Pos así, certeramente...? Cien... Ciento... Pos siento mucho no poder sacar las cuentas. Le digo: andamos haciendo Patria. *(Se arrodilla junto a ella.)* No se enoje conmigo, madrecita. Usted sabe que si ando por estos caminos de polvo y sangre es porque este pinche mundo no está bien hecho.

Doña Micaela—¿Y hasta cuando vas a seguir así, guerreando?

Villa—Hasta que dejemos colgados de los campanarios de la Catedral a todos los engañadores del pueblo. Sobre todo al generalito ése, Elías Calles: a ése y a sus compinches riquillos, de los huevos. Y luego...

Doña Micaela—¿Luego?

Villa—Pos... hasta que dejemos bien hechecito al mundo.

Doña Micaela—*(Llorando.)* Uuuujule, Pancho... 'Ta verde.

Villa—Déme su bendición, madre, que ya debo largarme.

Doña Micaela—No le doy nada. Primero vas con el cura y te confiesas y a luego.

Villa—Se lo ruego, mamacita. De niño apenas y me dio de comer. Namás le pido una bendición...

*(*Doña Micaela *acerca a la cabeza de su hijo la diestra, para bendecirlo,* Gina *saca la hoja de la máquina para colocar otra:* Doña Micaela *y* Villa *se congelan.*

Sin darse a notar, Andrea *se sienta junto al ventanal.*

Cuando Gina *vuelve a teclear, doña Micaela y* Villa *se avivan.)*

Doña Micaela—No le doy nada, punto.

Villa—Mire mamacita, doña Micaela, para confesarme necesitaría al menos ocho días y usté bien oye que ahí fuera está la guerra esperándome. Además, necesitaría usté conseguirme un cura con el corazón muy grande, más grande que el mío, para que yo le dijera todo lo que el Señor me ha dado licencia de hacer.

(GINA, *ya sin escribir, leyendo de una hoja, y en escena sucediendo.*
La anciana deslizó su mano temblorosa sobre la cabeza de su hijo... pero la retiró, como si hubiera tocado lumbre.)

DOÑA MICAELA—(*Retrocediendo hasta salir de escena.*) No m'hijo. A un asesino no puedo darle la bendición.
VILLA—No le aunque, ya es costumbre. (*Va a la salida furioso.*)
ANDREA—Ay qué barbaridad, Santo Dios.
VILLA—(*Yéndose.*) ¡Vámonos!

(*A lo lejos vemos a* VILLA *disparar al aire tres veces antes de desaparecer.*)

2. (*Mientras* ISMAEL *deja el florero con rosas en la sala y luego va al fondo a mirar llover.*)

ANDREA—Mira que ese plan suyo de colgar a mi abuelito de sus partes nobles en pleno Zócalo, me ha dejado anonadada.

(GINA *bebe de un sorbo su tequila y se empieza a servir otro.*)

GINA—No lo tomes personalmente.

(*Un relámpago.*)

ANDREA—Va caer una tormenta. No, lo tomo políticamente.
GINA—Bueno, no coinciden políticamente, pero...
ANDREA—Oye, ya párale, ¿no? Llevas tres cuartos de botella.
GINA—Pero cuando empecé ya estaba empezada. Oye, ¿y esas rosas?
ANDREA—Ni viste cómo aterrizaron ahí, ¿cierto? Te las trajo... (*Señala a* ISMAEL, *que se encuentra de espaldas, junto al ventanal.*)
GINA—Oh.
ANDREA—Sí: oh.

Gina—Bueno, insisto en que no coincides con él políticamente, puedo aceptar eso. Pero como escritor, debes reconocer...

Andrea—Ah no, no, como escritor me parece notable su... su...

Gina—Estilo.

Andrea—No, no, su... su ortografía. Impresionante cómo pone los puntos y las comas. Con mucha, mucha virilidad, ¿no es cierto? Pero te digo qué: que siga viviendo en el pasado, para eso es historiador. Nosotras pasemos a nuestro promisorio futuro. Isma.

(Hay otro relámpago.)

Andrea—Tráete acá tu calculadora. *(Abre su libro de cuentas.)* Si mi intuición no falla, estamos por debajo de los costos que suponíamos.

Ismael—*(Acercándose.)* Sí, claro, si tus amigos sufren, mejor cambia de tema.

Andrea—Nos citamos para revisar números, Flaco.

Ismael—Sí, pero. Es que. No. No, es que o vives con ese tipo o lo cortas, Gina.

Gina—Perdón, de qué hablas. Yo vivo sola muy feliz y muy tranquila.

Ismael—Hablo de tus insomnios, de los días en que no llegas al negocio, de como lo único que haces últimamente es copiar las cosas de ese tipo; hablo de que estás bebiendo como si te quisieras ir a la...

(Hay otro relámpago y un rápido trueno.)

Ismael—No entiendo: el amor te debería hacer feliz.

Andrea—No, pus sí.

Ismael—Digo: si dos personas —este— se aman, de verdad se aman, quieren vivir juntas, ¿o no?

Andrea—No, no necesariamente. Si son adultos, pueden tener otro pacto, Ismael, como Gina y este hampón que se llama a sí mismo intelectual. Se ven, se disfrutan; y hace cada quien su vida. Y ahora dejemos en paz la vida íntima de Gina y vamos a revisar las cuentas de la maqui...

Gina—No, no, sigan; aunque sea mal, sigan hablándome de ese hampón.

Ismael—Mira, si yo fuera él, y tú llegas a verme a mi casa y —no sé— me dices...

ANDREA—Imposible.

ISMAEL—¿Qué no es posible?

ANDREA—Gina no puede ir a su departamento.

ISMAEL—¿Por qué?

GINA—Es parte de nuestro pacto. Yo no soy de ese tipo de mujeres que andan detrás de los tipos. Que los persiguen y los invaden y... Y no soy ese tipo de mujer.

ANDREA—Tan-tan. *(Abre su cuaderno y se dirige a ISMAEL.)* Primer rubro: ...

GINA—A ver, ¿qué harías si estás en tu casa trabajando —cubitos—, y yo llego a media noche, te interrumpo y así de pronto te pido matrimonio?

ANDREA—*(Admonitoria.)* ¿Matrimonio?

GINA—Si llego con ese ramo de rosas rojas... y te digo: Ismael, hazme un hijo.

ISMAEL—¿É-esas...? Yo... te... eh... te digo...

ANDREA—Le dices: pero Gina, si ya tienes un hijo, y te cuesta una fortuna su colegiatura de Harvard; y sacas tu calculadora.

ISMAEL—Te digo: Gina, a mí —para mí sería un honor hacerte un hijo.

ANDREA—Cristo Rey.

ISMAEL—Sería un honor hacerte todo lo que me propusieras, porque... porque cómo voy a negarte algo, a ponerte límites, a establecer prohibiciones, digo: si te amo. El amor lo quiere todo... Quiere ser para siempre, si no, no es amor. Si no quiere ser eterno e infinito, es un amor indigno. Además...

GINA—*(A ANDREA.)* Oye, este muchacho es muy rescatable.

ANDREA—Sí, totalmente. Qué sorpresa, Ismael. Qué conceptazos. A ver Ismael, exprésate, expláyate.

GINA—Órale: expláyate. Con confianza.

ANDREA—Que nada te detenga, Flaco: lo que tenga que salir esta noche tormentosa, que salga.

ISMAEL—Es que... en el fondo... eso queremos los hombres, aunque juremos lo contrario: queremos que alguien nos tumbe todas —todas— nuestras idiotas defensas; que alguien nos invada, nos haga suyos; nos libere de nosotros mismos.

(Las dos mujeres lo reflexionan.)

ISMAEL—Bueno, ésa es mi experiencia.

ANDREA—Sí, pero... tú no tienes experiencia, Ismael.

(Mientras ANDREA lo ha dicho GINA se ha puesto en pie para ir al perchero.)

ANDREA—Gina. Gina, ¿qué pasa? ¿Qué haces?

(GINA se ha quitado la bata para ponerse un impermeable y zapatos de tacón.)

GINA—Nada. Voy a tumbarle todas sus idiotas defensas.

ANDREA—¿Ahorita?

GINA—De una vez. A su departamento.

ANDREA—Espérate. Estas cuentas tenemos que reenviarlas a Tijuana mañana. Gina. *Gina*, por lo menos háblale antes. Avísale que vas.

ISMAEL—No, se trata de agarrarlo fuera de guardia.

ANDREA—Tú cállate. Gina, supón que se molesta porque llegas sin avisar. Supón que de plano se enoja. Supón que está con... Que se enoja.

(GINA se paraliza.)

ISMAEL—¿Se enoja de qué?

ANDREA—De veras, cállate, Flaco.

ISMAEL—No te acobardes Gina. Si se enoja, le tiras en la cara las rosas y le dices adiós para siempre. Y te vas. Como toda una señora.

GINA—Eso me gustó. Le digo adiós para siempre y me voy... *(Haciendo un gesto teatral.)* como toda una... princesa, y luego... me suicido.

ANDREA—Muy bien, pero hazlo mañana, Gina.

(GINA toma las rosas del florero. Mira desde lejos la puerta de salida.)

ANDREA—Hazlo mañana. ¡Gina! Siquiera vístete.

GINA—¿Para qué?, si al rato me desvisten.

(GINA echa a caminar hacia la puerta con aire entre majestuoso e inseguro. Trastabilla un paso hacia atrás, y recomienza hacia el frente.)

GINA—Voy en taxi.

(Un resplandor ilumina su salida.)

(Oscuro.)

ANDREA—Se fue la luz.
ISMAEL—Por aquí había velas...

(Mientras en la oscuridad van a la cocina y cada vez los oímos más de lejos.)

ANDREA—Oye, Isma, ¿sigues releyendo *El arte de amar*? Mi consejo: mejor ya hazlo. De preferencia con otra persona. Por ejemplo de tu edad.
ISMAEL—Podemos empezar con las cuentas, si quieres.

3. *(La entrada de un edificio. Llueve.*
GINA *pulsa un timbre.)*

VOZ EN EL INTERFÓN—¿Quién?
GINA—Yo.

(Silencio.)

GINA—¿Me oyes, Adrián? Soy yo. *(Pausa breve.)* ¿Adrián...? *(Pausa breve.)* ¿No me oyes? No suena esta... *(Empuja la puerta, inútilmente.)* ¿Adrián? No suena el timbrecito para abrir, Adrián.

(La puerta se abre. ADRIÁN *sale. Está con su eterno impermeable, abajo el torso desnudo, y sin calcetines. Pero* GINA *sólo mira su amado rostro.)*

GINA—Adrián... *(En tono apasionado.)* ...hazme un hijo.

(ADRIÁN abre un paraguas.
GINA *trata de comprender ese hecho.)*

GINA—¿No me vas a invitar a subir?

(Silencio en que se oye llover.)

ADRIÁN—No puedo. Hay... Hay, arriba, otra, ay Dios. Otra mujer.

GINA—Marta.

ADRIÁN—¿Qué?

GINA—Marta, tu esposa.

ADRIÁN—No, no. ¿Cómo crees?

GINA—Entonces, la otra, la primera, ¿cómo se llama?

ADRIÁN—¿Quién?

GINA—Tu primera mujer.

ADRIÁN—No. No. No.

GINA—¿Quién entonces?

ADRIÁN—No importa. Te juro: no importa.

GINA—¡Una alumna, —puta— una alumna!

ADRIÁN—¡Que no importa por favor! ¡No tiene nombre, no existe!

GINA—...en la cara y le dices adiós...

ADRIÁN—¿Qué?

GINA—...para siempre. ¿Me oyes?: se acabó para siempre.

(Intenta golpearlo con las rosas, pero él esquiva el golpe y ella, desequilibrada, cae al piso.)

GINA—*(Incorporándose.)* Puta: el tacón.

(ADRIÁN se agacha para recoger el tacón que se saltó del zapato.)

GINA—A ver, 'tate quieto, cabrón.

ADRIÁN—Tu cara, Gina... Tienes la cara herida.

(GINA se palpa la cara: tiene sangre.)

ADRIÁN—No, sólo son tus deditos espinados...

GINA—Es sólo sangre, Adrián. A ver, quédate quieto ahí, cabrón.

(ADRIÁN obedece, se queda quieto bajo su paraguas, mientras GINA se pasea frente a él calculando el golpe. Le tira las rosas en la cara y gira en redondo; y se va caminando —cojeando— bajo la lluvia...
Un resplandor la ilumina.)

4. (El departamento. A la luz de unas velas, ANDREA e ISMAEL. ISMAEL mira su reloj. ANDREA mira su reloj.)

ANDREA—Pues... se quedó a dormir con él. Vámonos.

ISMAEL—Hubiera llamado para avisarnos.

ANDREA—La pasión la obnibuló.

ISMAEL—De todos modos hubiera llamado. ¿Cuánto le toma hablar por teléfono?

(ANDREA lo observa con una sorna enternecida.)

ANDREA—Isma, escúchame: nos borramos de su conciencia: tú y yo y el planeta Tierra.

ISMAEL—Tal vez hay que llamar a las cruces...

ANDREA—Mañana vemos. Vente.

ISMAEL—...

ANDREA—En ese closet hay cobertores.

ISMAEL—Gracias.

(Mientras ella va a la salida y él a la cocina.)

ANDREA—Me llevo la vela.

ISMAEL—Voy a llamar de una vez a las cruces.

ANDREA—Te mando un besito.

(ISMAEL en la cocina: lo vemos de lejos hablar por teléfono.)

ISMAEL—Disculpe señorita, el teléfono de la Cruz Roja. 53 95 11 11, gracias. *(Marca. Pequeña pausa.)* Estoy localizando a una persona. Sí gracias. *(Pequeña pausa.)* Estoy localizando a una persona. Sí gracias. *(Pequeña pausa.)* Gina Benítez. Hace tres días, perdón: tres horas.

5. (En la oscuridad se abre la puerta. Entra GINA, sin cerrar la puerta. Choca contra un mueble tumbando un plato ruidoso: vuelve la luz: ISMAEL sale de la cocina con el teléfono inalámbrico.)

GINA—Puta.

(GINA está con el maquillaje corrido, empapada, revuelto el cabello.)

GINA—¿Qué me ves?

ISMAEL—¿Qué te pasó?

GINA—Nada. Me pasó la vida. Me fui a caminar bajo la lluvia. ¿Es malo, según tu experiencia? No me suicidé, estoy aquí, ahora puedes irte. Es más: ya vete, por favor.

ISMAEL—¿Por qué no te bañas con agua caliente y te duermes?

(GINA le arrebata el teléfono, se deja caer en el sofá. Marca en el teléfono.)

GINA—Julián, Juliancito. Mami.

¿Así que te parece terrible que ahí sean las tres de la mañana? Pues aquí está mucho más cabrón porque son las cuatro. ¿Con quién estás? Oigo una voz. ¿Qué Margaret? ¿Margaret qué? ¿Y de dónde sale esa mujer? Curiosidad, ¿es malo? Y bueno, ¿qué hacen? Aaah: trigonometría. Así que van a pasarse el resto de la noche haciendo trigonometría, tú y ésta Margaret Delawer de Wichita, Alabama. ¿Por qué me mientes, Julián? ¿Por qué todos los hombres mienten? Tu padre nunca me mintió. No me cuelgues.

(GINA mira el receptor: Julián le ha colgado. Ella cuelga.
GINA permanece muy quieta.)

GINA—Nunca me mintió. Creo. *(A ISMAEL, que se acerca a ofrecerle una copa de coñac.)* Ya te habías ido, ¿no?

ISMAEL—No puedo dejarte así como estás.

GINA—*(Yendo a la grabadora.)* Precisamente porque así estoy, sería bonito que te fueras.

(GINA prende de una patada la grabadora.)

ISMAEL—Hay que arreglar ese aparato.

GINA—No, así es.

(Suena el bolero "Desdichadamente".[1] Gina, compenetrada con la dolorosa letra del bolero, padece. Las lágrimas se le derraman y silabea la tremenda canción. Hasta que vuelve a notar a Ismael, que no hace sino observarla.

Primero GINA se apena y le da la espalda. Luego lo reconsidera y mira por segunda ocasión al joven, con detenimiento. Se quita el

impermeable sin dejar de verlo, está en camisón... ISMAEL la mira, tieso.
Luego se bebe la copa de coñac de un sorbo y se acerca a ella...
　　Ella le toma las manos y las coloca en su cuerpo, para bailar... Se
mueven muy despacio, tiernamente, y también torpemente: ISMAEL no
sabe bailar el bolero...)

GINA—No sabes llevar.
ISMAEL—Llévame tú.

(Siguen bailando. Hay en sus cuerpos una paulatina relajación,
confianza. GINA mete una mano en la bolsa de atrás del pantalón de
él...)

　　6. *(En la oscuridad entra despacio y sin hacer ruido ADRIÁN, una*
rosa roja en la mano, el impermeable cubriéndole el torso sin ropa... Al
ver a la pareja, se acerca más despacio...
　　Cuando por fin GINA lo ve, sigue bailando.)

ADRIÁN—Déjanos solos Isaac.

(ISMAEL lo ignora también y busca la mirada de Gina. Pero GINA
se aparta.)

ADRIÁN—Déjanos, Isaac.

(ISMAEL va hacia la puerta principal, mientras ADRIÁN se acerca a
GINA. "Desdichadamente" acaba.
　　ADRIÁN reúne su cuerpo con el de GINA. Inicia otro bolero, "Una
y otra vez"[2], pero GINA no reacciona a la cercanía de ADRIÁN...
　　Por fin lo abraza. Bailan.
　　ISMAEL, que espiaba, se va cerrando tras de sí delicadamente, para
no hacer ruido.
　　ADRIÁN y GINA bailan maravillosamente bien. De pronto incluso
parecen bailarines de "music hall". Bailando se van encaminando al
dormitorio. Pero en el quicio, ADRIÁN aprieta su cuerpo contra el de
GINA, le alza ambos brazos, se baja la cremallera del pantalón, alza una
pierna de GINA, quiere penetrarla. Aún con música de bolero empieza
un forcejeo furioso entre la pareja.

Gina *se zafa, va bruscamente a la grabadora, de una patada la apaga.)*

(Larga pausa.)

Adrián—Está bien. ¿Qué quieres? ¿Qué es exactamente lo que quieres?

Gina—Quiero... Quiero... ...dormir... cada noche contigo. Quiero despertar contigo, cada mañana. Quiero desayunar contigo. Quiero que vengas a comer diario aquí. Quiero irme de vacaciones contigo. ...Quiero una casa en el campo. ...Quiero que hables con mi hijo de larga distancia, que hablen de cosas de hombres, que yo te lleve un té mientras hablas con mi hijo, seriamente. Quiero que acabes con Marta, digo: formalmente; que firmes ya un acta de divorcio. *(Otra larga pausa.)* Quiero disciplinarme por fin para ir a correr cada mañana. Quiero dejar de fumar. Quiero que vengas conmigo a Tijuana para elegir el terreno para la maquiladora. Quiero un collar con tu nombre. Perdón: con mi nombre. No, sí: con tu nombre... Y quiero... *(Otra larga pausa.)* Quiero... despertar contigo. Abrir los ojos cada mañana y verte. Quiero verte y cerrar los ojos y dormirme en paz. Y quiero que en veinte años... me abraces... y me digas: la vida es buena.

Adrián—Y querías un hijo mío.

Gina—Fíjate.

Adrián—Está bien.

Gina—Y quiero que no se me olvide todo lo que yo quiero por estar pendiente de lo que tú o Julián o Andrea o todos los otros quieren.

Adrián—Está bien. Ya no tomes la pastilla.

Gina—¿Qué?

Adrián—Si quieres tener un hijo mío.

Gina—Ay sí, qué fácil, hacerme un hijo. Pero como lo demás que te pido no lo quieres...

Adrián—Dije: está bien. Está bien. Está bien. Está bien.

(Adrián se aproxima.)

Adrián—Quiero... una vida contigo. Eso es cierto. La vida contigo es buena.

(Adrián la besa despacio. Se acarician.)

ADRIÁN—Va a ser un niño de ojos grandes y despabilados.

(OSCURO LENTO mientras siguen las caricias...)

III

1. *(El departamento. Tarde. Durante la escena, de manera apenas perceptible, va enrojeciéndose la luz.*

GINA abre la puerta. Es ADRIÁN, el hombro recargado contra el quicio, un cigarro entre los labios. Está por decir algo, pero en cambio tose.)

GINA—¿Estás resfriado?

ADRIÁN—Un poco.

GINA—Entonces no fumes. ¿Desde hace cuanto fumas?

ADRIÁN—Dos semanas. *(Busca donde tirar el cigarro.)*

GINA—Entiérralo.

ADRIÁN—¿Qué?

GINA—El cigarro. Que lo metas en la tierra de la maceta.

(GINA le quita de los labios el cigarro y va a enterrarlo en la maceta del pasillo exterior al departamento. ADRIÁN empieza a quitarse la gabardina.)

GINA—No, espérate. No te la quites.

ADRIÁN—¿De plano?

GINA—De plano. Vamos a tomar un café fuera.

(ADRIÁN lo piensa. Camina hacia el sofá. Se sienta.)

ADRIÁN—Hace tres meses que no te llamo.

(Pausa larga.)

ADRIÁN—Es mucho tiempo. Pero también, a ver si puedes comprenderme, también es muy poco tiempo. Yo sé que tu vida está hecha sin mí, que así necesitarme, no me necesitas. Ni yo a ti. Lo nuestro sucede aparte de todo lo demás. Es un regalo, un don que nos ha dado la vida. Lo nuestro sucede un poco afuera del mundo.

Un centímetro, un minuto, afuera del mundo, afuera del tiempo. Así que tres meses es mucho. Y es nada. Porque ayer, ayer salí apenas por esa puerta. Ayer salí apenas de tu cuerpo.

(GINA sigue de pie.)

ADRIÁN—Tuve trabajo: la universidad, dos o tres editoriales peliagudas en el periódico, revisé el manuscrito del libro, lo entregué a la editorial.

(ADRIÁN espera alguna reacción de Gina. En vano.)

ADRIÁN—El libro de Villa, lo entregué a la editorial.

(Ninguna reacción de GINA.)

ADRIÁN—Y salí a Juchitán, para reportear el fraude electoral y... En fin.

GINA—Tres meses. Doce semanas. Ciento veinte días. Olvídate de los días: ciento veinte noches.

ADRIÁN—Con esta luz rojiza del atardecer... ahí, reclinada contra ese muro, te ves como una sacerdotisa...

(GINA, con brusquedad, se mueve de la pared, va al sofá.)

ADRIÁN—...griega.

GINA—Hace tres meses llamaste y dijiste que estabas en camino. El día siguiente a cuando decidimos tantas cosas. Dijiste que te urgía hablar conmigo, ¿cómo dijiste?, seriamente. No: definitivamente, esa palabra usaste. Estuve esperándote toda la tarde. Mentira: estuve esperándote hasta la madrugada.

ADRIÁN—Lo que pasó es... No me lo vas a creer.

GINA—Seguro.

ADRIÁN—Algo increíble. Venía en el Periférico hacia aquí. ¿Sabes donde las vías del tren corren casi paralelas al Periférico? Bueno, había mucho tráfico, íbamos a vuelta de rueda, defensa contra defensa, y yo con esa tremenda erección que me ocurre... esa tremenda erección que me *ocurre* cuando vengo a verte. Entonces me volví a ver hacia las vías. Había un campesino, con sombrero de paja, caminando al lado de las vías. Y... el tren... llegó el tren rapidísimo, y vi cómo la cabeza del campesino saltó por el aire; fue en un instante: la cabeza saltó y luego, mientras pasaban los vagones ya no podía ver al campesino. Me aferré al volante como si hubiera visto al Diablo en persona. Cuando terminó de pasar el tren... el campesino no estaba. Se me olvidó todo, a donde iba, pensé que había alucinado aquello. Traté de salirme del Periférico, llegar a las vías, ver si estaba la cabeza, el cadáver. Nunca llegué. Me perdí en las calles de la colonia Bondojito.

(Pausa.)

ADRIÁN—Así fue.

GINA—¿Y los siguientes ciento diecinueve días?

ADRIÁN—Pues... Te juro que no sé. Tomé como una señal de mal agüero lo del Periférico. Me asustó. Tú sabes que soy supersticioso.

GINA—Primera noticia.

ADRIÁN—Pues resulta que sí, últimamente. Me puse a trabajar como loco los siguientes días, semanas... No sé, la sensación era de que me iba a morir. Tenía esa certeza extraña: que me iba a morir... Y antes quería acabar el libro. Y lo acabé y lo llevé a la editorial.

(ADRIÁN espera una reacción de GINA. En vano.)

ADRIÁN—Pero, francamente, no sé, no sé qué pasó ahí. Ahora que tú me pudiste haber llamado por teléfono.

GINA—Nuestro pacto...

ADRIÁN—Pudiste haber roto el pacto.

GINA—Lo rompí una vez y me arrepiento.

(ADRIÁN camina hacia una esquina. Ahí toma ánimo para seguirse explicando.)

ADRIÁN—Es bien curioso: cuando te pienso, pienso en tus manos, en tu boca, tus senos, tus piernas: en alguna parte de ti. No es hasta que te veo de nuevo que todo se reúne en una persona específica, que respira y piensa y está viva... Eso me da pavor, saber que aparte de mí, existes.

(GINA se suelta a llorar, pero por pudor escapa al dormitorio.)

GINA—*(Mientras se aleja.)* No me sigas.

ADRIÁN—¿Vas a preparar el té?

(Ya nadie le responde.)

ADRIÁN—No, no creo.

(ADRIÁN se sienta en el sofá, entonces algo le incomoda del asiento. Busca debajo del asiento: encuentra un corazón de madera.)

ADRIÁN—Qué infantilismo, puta madre.

(Guarda de prisa el corazón bajo el asiento cuando siente a GINA volver, y finge calma).

GINA—Adrián, mira...

ADRIÁN—Lo de nuestro hijo, ya sé.

GINA—No. Era una locura.

ADRIÁN—Para nada, ¿por qué? Hablé con Marta, mi esposa.

GINA—Sé como se llama.

ADRIÁN—Dijo que ella no tenía problema. Dijo que podíamos tener un hijo.

GINA—*(Anonadada.)* Ella... no tenía problema... con un hijo que *yo* voy a tener. Me imagino que no. No sabía que eras tan íntimo con Marta, digo: todavía.

ADRIÁN—Somos amigos. Nada más. Te cuento que le conté para que sepas que mis intenciones eran serias. Son serias. Al menos en lo del hijo. El resto, eso es lo que quería discutir, platicar contigo. Punto por punto. La casa en el campo está muy bien, pero...

GINA—Adrián, déjame hablar.

ADRIÁN—Siéntate.

GINA—No quiero.

ADRIÁN—Está bien, quédate de pie, estás en tu casa.

GINA—Adrián, ya no... Ya no. Ya no vengas, no quiero que siquiera... me llames por teléfono.

ADRIÁN—¿Es decir que... ya no?

GINA—Ya no, Adrián.

ADRIÁN—Ya. Pues... está muy bien: ya no.

GINA—Ya no.

ADRIÁN—*(Yendo a la puerta con una histeria creciente.)* Ya oí: ya no. Nada más me sorprende la limpieza del machetazo: ya no: pero perfecto: ya no: así son los neoliberales, ¿no es cierto?, no sirve, a la mierda: ¡¡ya no!!

GINA—¡Así es: ya no!

ADRIÁN—Y si nos vemos en calle nada más de lejos nos decimos ¡¡¡ya no!!!, ¿te parece?

GINA—¡¡¡Exacto: ya no!!!

ADRIÁN—¡Ya no, perfecto! ¡¡¡YA NO!!! ¡VÁMONOS!

(Al abrir de golpe la puerta ADRIÁN se encuentra a don PANCHO VILLA.)

VILLA—Despacio, compañerito Pineda. Con calma. Con ternura. ¿Pa' qué las quiere si no es para la ternura? *(Acompañándolo hacia GINA.)* Ándele.

ADRIÁN—Gina... Este...

GINA—Ya no Adrián, por piedad.

ADRIÁN—Gina, es que...

VILLA—Carajo: ya.

ADRIÁN—Siento haber desaparecido tres meses, pero... Todo se puede arreglar.

GINA—No.

ADRIÁN—Todo.

GINA—¡NO!

VILLA—Aunque no parezca está cediendo. No más toque las cuerdas más poquito a poco y de pronto canta...

(ADRIÁN ensaya tocarla. Ella se aparta cinco metros.)

ADRIÁN—Carajo contigo: siempre me has dicho a todo sí y sí y sí; y de pronto hoy es no y no y no. No puedo estar en tu casa. No quieres tener un hijo mío. Ni siquiera puedo piropearte. Tocarte. Déjame pasar, chingados.

GINA—Adrián... Estoy enamorada.

(Larga pausa.)

VILLA—Ingrata...

(VILLA se vuelve. Trae una puñalada en la espalda.)

ADRIÁN—General.

VILLA—No es nada, pinche puñalito, orita me lo saco. *(Empieza a intentar zafarse el puñal.)* Uste dele.

ADRIÁN—Perdón, creo que te oí mal. ¿Estás *qué*?

GINA—Enamorada.

ADRIÁN—Por favor, a tu edad ese lenguaje. Enamorada. Podrías explayarte.

GINA—No. Es muy simple: estoy enamorada.

ADRIÁN—Define el termino enamorada por favor. Defínemelo funcionalmente.

GINA—Es muy simple.

ADRIÁN—Pero claro que no. Existe una bibliografía inmensa sobre ese estado de ilusión. Desde Platón hasta Freud y los post-freudianos, pasando por Kierkegard y Marcuse. Enamorada. Tal vez es inquietada sexualmente. *(VILLA logra sacarse el puñal: ADRIÁN continúa, más seguro de sí mismo.)* Tal vez con cierta curiosidad sexual hacia alguien. Enamorada: ésas son chingaderas, Gina. Estoy esperando una definición funcional del término.

GINA—...

ADRIÁN—¿De quién?

GINA—...

VILLA—A ver si dan la cara, hijos de su madre.

ADRIÁN—Del pendejito del arete, no sé para qué pregunto. El chamaco éste tuberculoso y medio maricón. ¿Ezequiel?

GINA—Ismael.

(Un estampido. VILLA salta y se vuelve. Tiene un balazo en la parte posterior del antebrazo.)

VILLA—Chinga'o. Y yo aquí sólo con mi alma...

(Mientras VILLA se quita el paliacate del cuello para vendarse el antebrazo.)

ADRIÁN—Está bien, vamos a analizar con la cabeza fría el asunto, ¿te parece? Me ausento tres meses y me suples con un muchachito de la edad de tu hijo.

GINA—Mayor.

ADRIÁN—Un año mayor. Lo vas a mantener tú.

(VILLA empieza a cargar su pistola.)

VILLA—Chichifo.

GINA—No. ¿Por qué?

ADRIÁN—El va a pagar la universidad de tu hijo.

GINA—¿Tú la pagabas?

VILLA—Ni le mueva por ahí.

GINA—Cada quien se ocupa de sus gastos.

VILLA—Chitón.

GINA—Además te sorprenderías de saber cuanto gana. Bastante más que tú.

ADRIÁN—Ah sí, su patrón le paga bien. Quiero decir: su patrona.

VILLA—Mandilón.

ADRIÁN—¿Le vas a subir el salario?

VILLA—Padrote.

ADRIÁN—¿O lo vas a hacer socio de una vez?

GINA—Cada quien se ocupará de sus gastos, ¿no oíste?

ADRIÁN—Claro, no es que se vayan a casar.

GINA—*(Sonriente.)*...

VILLA—Necesito agua, tantita agua. *(Yendo a la cocina.)* Usted sígale dando, mi capitán.

ADRIÁN—Bueno, y ¿qué tiene que ver eso con lo nuestro? Te vuelvo a repetir: lo nuestro es bello porque está fuera de la corriente de la vida. De la vida o de la muerte. Lo nuestro ocurre aparte. Es tu y yo. Tú y yo. A mi él me tiene sin cuidado. Te digo: si lo amas, yo... yo lo acepto.

(VILLA, al volver de la cocina, recibe otro balazo.)

VILLA—'Ta cabrón, cabrones. Ora es desde nuestras mismas juerzas que disparan.

ADRIÁN—No le puedo exigir nada, general. Es una mujer pensante. Se gana sola la vida. ¿Con qué la obligo?

VILLA—¿Cómo que con qué? *(Se toca el sexo entre las ingles...)* Con el sentimiento.

ADRIÁN—Pues eso trato, pero...

VILLA—Porque compartir la vieja, ni madres. Ni la yegua ni el jusil.

ADRIÁN—Por eso siempre perdemos el poder, general, por la terquedad de no saber negociar.

VILLA—Y pa' qué quiere el poder si llega todo doblado, maricón.

ADRIÁN—Las cosas no son Todo o Nada, caray.

GINA—Adrián...

VILLA—Métaselo aquí amiguito *(En la cabeza.)* con estos perjumados no se negocia, porque en cuanto les abre uno la puerta luego luego se quieren seguir hasta el fondo.

GINA—Adrián, ¿me oyes?

ADRIÁN—Te oigo, te oigo. ¿O quieres que me ponga de rodillas para oírte?

GINA—Mejor te lo digo de una vez.

VILLA—Ahí va, ahí va.

ADRIÁN—¿Qué más?

VILLA—No la deje hablar, chinga'o. Péguele, bésela, interrúmpala, dígale: ay desgraciada, qué chula te ves cuando te enojas.

ADRIÁN—Ay desgraciada, qué chula te...

GINA—Vamos a vivir juntos.

(VILLA recibe otro balazo.)

ADRIÁN—*(Los ojos muy abiertos.)* A vivir juntos... ¿Aquí?

GINA—Sí.

ADRIÁN—Este... Está bien. Está bien, conseguimos...

VILLA—¿Está bien? *(Zarandeándolo.)* ¿Está bien, 'che mariquita? Ahí nos vimos... *(Se encamina hacia la puerta trabajosamente, y es que le duelen los balazos.)*

GINA—¿Decías...?

ADRIÁN—*(La atención dividida entre GINA y VILLA que se va.)* Que conseguimos otro lugar para nuestros encuentros. Yo no soy celoso.

(Otro balazo a VILLA.)

VILLA—Aj.

GINA—*(Enfáticamente.)* No.

(Otro balazo.)

ADRIÁN—¿Por qué no? Te la estoy poniendo fácil.

GINA—¡Porque estoy enamorada hasta las pestañas!

(Otro balazo. VILLA queda tirado en el piso. Pausa. VILLA se pone en pie, dificultosamente, lleno de agujeros.)

ADRIÁN—¿Está ahí?

GINA—¿Quién?

ADRIÁN—En el dormitorio, oyendo todo.

GINA—¿Quién?

VILLA—Ya sal chamuco, ya sé que estás ahí.

GINA—No hay nadie.

(VILLA *entra al dormitorio.* ADRIÁN *se mueve también hacia el dormitorio, pero* GINA *se le interpone. La aparta, entra.* VILLA *saca a rastras a* ISMAEL, *lo patea sin misericordia. Por fin abre la puerta principal y lo lanza fuera.* ADRIÁN *vuelve a la sala.*)

GINA—No hay nadie, cómo se te ocurre.

VILLA—Listo.

ADRIÁN—Gracias.

(ADRIÁN *se pasea por la sala arreglando, reacomodando lo que se desarregló durante su tremenda discusión con* GINA.)

GINA—(*Abriendo la puerta principal.*) Adrián… ¿Viniste en coche?

ADRIÁN—Está estacionado exactamente enfrente del edificio, ya me voy. Siéntate.

GINA—No.

ADRIÁN—Siéntate, te juro: ya casi me voy. Sólo quiero mirarte, unos momentos. Tres momentos, los últimos, si quieres.

(GINA *cierra la puerta. Descansa la espalda contra la puerta.*
ADRIÁN *se sienta en el sofá.*
VILLA *se aproxima a* GINA.
Largo silencio.)

ADRIÁN—Sólo quiero mirarte…

(*Pausa larga.*)

ADRIÁN—Mirarte.

(*Pausa larga en que solamente se oye la amenazante respiración de* VILLA.)

GINA—(*Poco a poco asustada.*) No hagas eso.

ADRIÁN—¿No hago qué?

VILLA—Solo estoy viéndote.

ADRIÁN—Te juro que no pasa nada.

VILLA—Nada más estoy viendo como la luz va cambiándote la cara. Siempre has sido la misma mujer. Por más que te cambie por otra, siempre has sido la misma, una sola mujer...

ADRIÁN—¿Sabes? En esta luz crepuscular te ves... especialmente...

VILLA—Verde.

ADRIÁN—Bella. Como una estatua...

VILLA—De cobre oxidado.

ADRIÁN—Bella y...

VILLA—Verde.

ADRIÁN—Y tan...

VILLA—Una mujer más y ya, compañerito. Usted se va y ella se queda parada junto a esa puerta toda la vida, como una estatua; escúcheme bien: parada ahí, junto a esa puerta, como la misma estatua de la espera; ella se queda encerrada en su pequeño mundito y usted, pues usted encontrará otros brazos hospitalarios, siempre hay. Unos brazos más jóvenes. Más tiernos. Unos ojos más inocentes.

ADRIÁN—Gina... eres mi último amor...

VILLA—Qué va. Estamos heridos pero no dijuntos.

ADRIÁN—Nunca volveré a entregarme así.

VILLA—Ya acabe esto de una buena vez y me lleva al médico.

GINA—Tal vez, si yo hubiera expresado mis deseos... Si no te hubiera dicho sí a todo, como dijiste antes... Si te hubiera pedido lo que necesitaba, poco a poco, y no de golpe en una sola noche... y te hubiera dado la oportunidad de decir poco a poco sí o no... Pero... te tenía miedo.

ADRIÁN—¿Miedo? ¿A mí?

GINA—Le he tenido miedo a cada uno de los hombres a quienes amé. A mi padre, a mi hermano. A Julián. A ti.

ADRIÁN—Pero ¿por qué?

(GINA lo piensa arduamente.)

GINA—Porque, no sé... Porque son más grandotes que yo.

ADRIÁN—Ay Gina, Gina, Gina.

GINA—Ahora por fin tengo confianza en un hombre, pero por desgracia no eres tú.

VILLA—Qué agonía más lenta, hijos de su madre...

GINA—No Adrián: no llores Adrián.

(Otro balazo sobre VILLA.*)*

VILLA—*(Agónico.)* Qué ignominia.

ADRIÁN—Estas lágrimas son de rabia. *(Respira con dificultad).* A mí no me puedes hacer esto. *(Está sofocándose).* A mí no.

GINA—Ahora sí por favor Adrián, ya vete.

ADRIÁN—No puedes. No puedes. Te juro que no puedes.

VILLA—Así compañerito, así.

ADRIÁN—Y no puedes porque...

VILLA—Ya mátela, compañerito. A luego echamos discurso.

ADRIÁN—Yo no soy ese chamaco que...

VILLA—De una vez.

*(*VILLA *toma la cacha de su pistola.* ADRIÁN *mete la mano en la bolsa de su impermeable.*

ADRIÁN *desembolsa, como un revólver, su libro.* VILLA *desenfunda y dispara: no hay balas.)*

GINA—¿Qué es esto? ¿El libro de Villa?

ADRIÁN—...

GINA—No me dijiste que ya salió. Dijiste que lo entregaste a la editorial pero no que ya estaba impreso.

*(*VILLA *se desploma en una silla.* ADRIÁN *le da el libro a* GINA*).*

GINA—Lo voy a leer con mucho cuidado.

ADRIÁN—*(Ahogándose de rencor.)* Conoces el material.

GINA—No importa. Lo voy a leer con detenimiento. Qué bien, ¿eh? Villa en la portada, a caballo. *(*VILLA*, curioso, se acerca a verse en la portada).* En la contraportada tú, al escritorio. Te ves muy interesante. Y muy guapo. La tipografía es perfecta. Currier de once puntos. Muy legible.

ADRIÁN—Currier super.

GINA—Me alegro por ti, Adrián.

VILLA—*(En secreto a* ADRIÁN.*)* Ya chingamos.

ADRIÁN—*(Plañidero.)* Te lo dediqué.

GINA—*(Muy sorprendida.)* ¿El libro? ¿En serio?

VILLA—No sea puto, cabrón.

GINA—Nunca me imaginé...

ADRIÁN—No, ¿verdad? Aquel día que no llegué, venía a proponerte matrimonio. Tampoco eso te lo imaginaste, ¿no?

GINA—Pero Adrián...

ADRIÁN—¿Qué?

GINA—Es que estás todavía casado, Adrián.

VILLA—*(Desenfundando.)* ¿Y...?

ADRIÁN—Eso también lo pensaba arreglar. La verdad es ésta: nunca me tuviste fe.

GINA—Pues... no, supongo que no, que nunca te tuve fe. Te digo: nunca me imaginé que me dedicaras tu libro y ahora... no sé... qué pensar, o hacer... No creí que yo para ti fuera así de... importante...

(GINA, conmovida, se sienta junto a ADRIÁN. ADRIÁN pasa su brazo sobre los hombros de ella. VILLA queda entre ambos, gozando el reencuentro de los amantes.

GINA busca las primeras páginas del libro. Lee. Sacude la cabeza.)

GINA—Ah, a mano. ¡Me lo dedicaste a mano! "A una querida amiga, apasionada como yo de Pancho Villa".

VILLA—No, está cabrón, güero.

GINA—No Adrián, ahora sí te voy a pedir que te largues.

VILLA—Mátela, no tiene remedio.

ADRIÁN—Es tan irresponsable, dejarse arrastrar así por el instinto. Lo nuestro era una hermosa relación de lujuria, pero tenías que dejarte arrastrar por ese instinto de las hembras de hacer nido. Tenías que convertir nuestra pasión en un asunto de baños compartidos y biberones y recibos de tintorería. Tenías que atraparme aquí en tu casa, tenías que comportarte como "toda una mujer".

GINA—Por eso: ya vete, Adrián.

VILLA—Por eso, ya mátela, con sus propias manos.

ADRIÁN—Está bien, voy a divorciarme, de todos modos era solo un trámite que no hacía por desidia...

GINA—No quiero.

ADRIÁN—Aquel día venía a proponerte...

GINA—Adrián por favor, ya vete.

VILLA—Adrián, por favor: ya mátala...

(ADRIÁN observa el lugar con extrañeza. Se aparta de GINA y VILLA, se pasea nerviosamente, ensimismado.)

GINA—Adrián.
VILLA—Adrián.

(Pausa.)

GINA—Adrián. ¿Qué esperas, Adrián?
VILLA—¿Qué esperas, Adrián?

(Pausa.)

GINA—¿Podrías ya irte? ¿Adrián?
VILLA—¿Podrías ya torcerle el cogote, Adrián?

(ADRIÁN corre hacia el ventanal y salta.
Larga pausa.
GINA se acerca al ventanal, lo cierra, se vuelve, boquiabierta.)

GINA—Pero si siempre he vivido en planta baja.

(VILLA se desploma, muerto por fin, de vergüenza.)

(OSCURO LENTO)

IV

1. (Noche. Las luces eléctricas del departamento van subiendo. Tocan a la puerta. ANDREA *sale del dormitorio, cruza la estancia mientras se da "un pericazo" de coca. Abre. Es* ADRIÁN, *el hombro contra el quicio. Trae un sombrero de fieltro viejo, abollado, un suéter sin camisa abajo, una barba de tres días.)*

ANDREA–La miras... fijamente. Respirando fuerte. La besas. Ella dice: espérate, siéntate, te sirvo un té.

ADRIÁN–Te lo contó todo, Andrea. Andrea, ¿verdad?

ANDREA–Andrea Elías: sí.

ADRIÁN–Elías Calles.

ANDREA–Sí, Andrán-Cito. ¿Por qué no? Es mi mejor amiga.

ADRIÁN–¿Está en casa?

ANDREA–No.

ADRIÁN–No ha vuelto desde que hablé contigo por teléfono.

ANDREA–Ponte cómodo. *(Va a la cocina.)*

*(*ADRIÁN *obedece, extrañado del tono de autoridad de* ANDREA. *Cuelga en el perchero el impermeable.)*

ADRIÁN–¿A qué horas vuelve? *(Va hacia el ventanal, se asoma, pero retrocede instintivamente lleno de vértigo. Vértigo del recuerdo de su suicidio fallido.)* Planta baja. *(Furioso.)* ¿A qué horas dices que vuelve?

*(*ANDREA *regresa con una charola en la que se encuentra el servicio de té. Lo deja en la mesita baja y se arrodilla para servirlo.)*

ADRIÁN–¿A qué horas?

ANDREA–No está en la ciudad. Me pidió que si la llamabas no te dijera en donde está.

ADRIÁN–¿Por qué?

ANDREA–Porque hace un mes, a las dos de la mañana, cuando no te quiso abrir la puerta de la entrada al edificio, la rompiste a patadas.

ADRIÁN–Tú preparas muy rápido el té.

ANDREA–Puse a hervir el agua cuando avisaste que venías.

ADRIÁN—Estaba ebrio. Y estaba desesperado. Y tenía que hablar con ella. Con alguien como ella: alguien comprensivo.

ANDREA—¿Dos de azúcar?

ADRIÁN—Alguien que ve el vaso medio lleno y no medio vacío. Es que estuve esa tarde en el entierro de Villa.

ANDREA—¿Dos de azúcar?

ADRIÁN—Quiero decir: el aniversario del entierro de... *(ANDREA empieza a servir cucharadas de azúcar en el té de ADRIÁN: cinco en total...)* Es decir... El aniversario de la muerte de Villa, en el cementerio. Se me destrozó el corazón, y necesitaba ver a Gina. *(ANDREA le alarga la taza.)* ¿Es té de tila?

ANDREA—No. De lirio. Es té de lirio, Adrián. ¿Está sabroso?

ADRIÁN—*(Oliéndolo.)* No. No tomo té.

ANDREA—¿Y a poco había gente en el panteón?

ADRIÁN—*(Resentido.)* Mucha. Como setecientos, entre hijos y nietos de Villa; y admiradores. Era como para llorar. Vinieron de todo el país y ahí estaban: morenos y con esos ojos del Centauro: azul turquesa, nítidos, como dos gotas de cielo. De cielo puro. Habían algunas viudas también, ya muy muy ancianas. Y estaban quietos, los hijos, los nietos, las mujeres de Villa, mirando la tumba.

ANDREA—Gente humilde.

ADRIÁN—Claro.

ANDREA—¿Analfabetas?

ADRIÁN—Muchos, supongo. Como para llorar, en serio.

ANDREA—Pues sí. ¿De qué sirvió la Revolución, la lucha del general Villa, si sus nietos están igual de chingados que él de escuincle?

ADRIÁN—*(Con saña contra ella.)* Es que a otros les hizo justicia la Revolución, a los que no estaban junto a esa tumba: a los burgueses. Los perjumados. Los leídos. Los licenciados. La punta de sinvergüenzas.

ANDREA—Pues es que tuvo demasiados hijos, ¿no te parece? Sembró niños como si fueran quelites.

ADRIÁN—No sabes lo que dices. Toda su descendencia adora su memoria. Es lo único valioso para ellos: la memoria del Centauro.

ANDREA—Eso es lo que digo: que lo único que les dejó fue eso: su memoria. Ni educación, ni oficios. Sólo su sombra inalcanzable.

ADRIÁN—Habló la oligarquía ilustrada.

ANDREA—Y entonces te embriagaste.

ADRIÁN—Me rompió el corazón, la descendencia de Villa, y sí, me fui a beber a La Guadalupana, de Coyoacán, y no bebí mucho, pero como nunca bebo, me embriagué, y luego necesitaba verla, a Gina, hablar con ella.

ANDREA—De Villa.

ADRIÁN—De Villa. ¿Sabes que esa tumba está vacía?

ANDREA—La de Villa.

ADRIÁN—Es que algunos dicen… que en realidad…

ANDREA—¿En realidad…?

ADRIÁN—Villa se salió solito de la tumba.

ANDREA—Como Cristo.

ADRIÁN—Ey, como Cristo resucitó y salió de la tierra, cargando con todo y lápida.

ANDREA—Como el Pípila.

ADRIÁN—Ey. Y que anda vivo todavía.

ANDREA—San Pancho Villa.

ADRIÁN—Ey. Cabalgando por ahí. Y bueno, por ahí anda, ¿no?, cabalgando en nuestra imaginación, al menos. En nuestros ánimos de redención. No sé porque te cuento esto. Digo: no te conozco. O sí: y eres el enemigo.

ANDREA—No te preocupes, me gusta oírte. Tu labia es hipnótica. También me gustó tu novela de Villa.

ADRIÁN—Ah.

ANDREA—La compré en Vip's. Y la leí en Vip's. Es chiquita.

ADRIÁN—*(Molesto.)* ¿A qué horas dijiste que vuelve? *(Se pone en pie y se pasea.)*

ANDREA—Se fue de la ciudad. Se fue del país.

ADRIÁN—No es cierto.

ANDREA—Me vendió el departamento con todo incluido. *(Lo mira a él de pies a cabeza.)* Todo.

(ADRIÁN se detiene frente a un cuadro que antes no estaba. El retrato al óleo del presidente Plutarco Elías Calles, la banda tricolor cruzada al pecho.)

ANDREA—Mi abuelito Plutarco. Un perjumado.

ADRIÁN—Ya. ¿A dónde está?

ANDREA—Por quinta vez: me pidió que no te dijera.

ADRIÁN—¿Con el chichifo ese?

ANDREA—Con Ismael, sí.

ADRIÁN—Está en Tijuana, viendo lo de la maquiladora.

ANDREA—...

ADRIÁN—Pues voy a ir a Tijuana y voy a peinarla.

ANDREA—De hecho no está en Tijuana. La maquiladora se está montando, pero Gina decidió retirarse medio año de los negocios y está... lejos.

ADRIÁN—¡¿Por qué no puedo saber dónde está?!

ANDREA—Te dije: porque rompiste a patadas la puerta del edificio.

ADRIÁN—¿Y qué? Era mi derecho, tratar de recuperarla. Andrea: he cambiado. No sé qué te habrá contado ella de mí pero he cambiado. La necesito.

ANDREA—Okey.

ADRIÁN—Por fin, humildemente, sin ningún pudor, reconozco que la necesito. La necesito.

ANDREA—Okey.

ADRIÁN—No digas "okey", eso no es español. Tienes que ayudarme, Andrea. Estoy desolado. Desmadrado. Desvaído. Más calvo.

ANDREA—Ah, no eras así de calvo.

ADRIÁN—Para nada. Hace dos meses no tenía estas entradas.

ANDREA—Qué terrible.

ADRIÁN—Me duelen las encías. Me sangran. Fui a ver al dentista y me dijo: Lo suyo es mental. La necesita mi cuerpo. Mi alma. Esta melancolía, este anhelo por un fantasma, me está desgraciando el cerebro. El otro día pensé seriamente en irme a encerrar a un monasterio Zen en los Himalayas. Hacerme místico, a mi edad, con mi pasado de materialista dialéctico: ¿te lo imaginas?

ANDREA—Para qué si nunca lo vas a hacer.

ADRIÁN—(*Alzando la voz, para callarla.*) El hecho es que... Siempre cargué el mundo en los hombros, ahora cargo mi destino personal, y es un peso más grave, porque a su peso específico hay que agregarle el de saber que no tiene la menor importancia. No me entiendes.

ANDREA—Perfectamente.

ADRIÁN—Qué va.

ANDREA—Dices que estás agobiado por la mediocridad de tu vida.

(ADRIÁN camina, molesto por la interpretación de ANDREA.)

ADRIÁN—No exactamente. *(Va a sentarse al lado de ANDREA).* Andrea, seamos sensatos.

ANDREA—Okey.

ADRIÁN—Tú sabes que no le puede resultar con ese muchachito.

ANDREA—Mira Adrián, no digo para nada que Ismael sea mejor que tú. Según lo que sé de ambos, no lo es en varios sentidos. Tú eres más maduro, al menos físicamente; más leído, aunque quién sabe para qué sirve eso; eres mejor amante, como amante estás mejor equipado... dicen... no te hagas... En fin: rompes mejor las puertas a patadas, te tiras mejor desde las plantas bajas. Pero...

ADRIÁN—¿Pero...?

ANDREA—Ese muchachito es capaz de tenerle devoción. Verdadera devoción, ¿entiendes?

ADRIÁN—Ese muchachito es homosexual, Andrea. Yo los huelo. En serio. Los homosexuales que no saben que son homosexuales tienen ese olor peculiar: a manzana.

ANDREA—Es cierto: a manzana.

ADRIÁN—¿Verdad que sí?

ANDREA—Pero todos los jóvenes vírgenes huelen a manzana, Adrián.

ADRIÁN—*(Desolado.)* ¿Virgen? ¿Es...?

ANDREA—Era.

ADRIÁN—Yo lo único que sé es que quiero despertar por las mañanas con ella. Desayunar con ella. Mirarle sus pinches ojeras... Andrea, escúchame: ella también me necesita. Necesita a un hombre maduro, inteligente, conceptuoso, que la haga crecer, ¿o no? Díselo. Por favor.

Andrea—*(Luego de tomarle las manos, íntima, cariñosa.)* No, no Adrián. Y te voy a rogar que ya no seas tan típico, por favor. Lo que sucede es que no soportas haber perdido, eso es todo. Perder ahuita.

ADRIÁN—Perder ahuita. Ahuita. ¿Ahuita de beber?

ANDREA—Ahuita: entristece. Del verbo ahuitar. Yo ahuito, tu ahuitas, vosotros ahuitáis. Lo que tú necesitas es dejar de preocuparte por tu destino y ocuparte de él.

ADRIÁN—Dejar de pre-ocuparme y ocuparme de... ¿Cómo?

Andrea—*(Acariciándole una mejilla.)* Rompiendo con el pasado. Entregándote a lo que llega. Mirando lo presente. Lo pasado, pasado, Adrián. Tienes que mirar lo que está frente a ti. O sea: enfrente.

(Se miran largamente... ANDREA le toca los hombros.)

ADRIÁN—Están tensos.
ANDREA—Como de piedra.

(ANDREA le masajea los hombros. Él suspira.)

ADRIÁN—Yo...
ANDREA—Cállate...

(ANDREA lo sigue masajeando.)

ANDREA—¿Mejor?
ADRIÁN—Mejor.
ANDREA—Bien. Párate. Los brazos: suelta los brazos.

(Ambos se paran.
ANDREA lo tiene tomado de ambas manos. Sacude sus brazos.)

ANDREA—Flojo, flojo. Abrázame.

(ADRIÁN duda.)

ADRIÁN—Es que no te conozco.
ANDREA—Te voy a tronar la espina dorsal. Abrázame.

(ADRIÁN la abraza. Ella lo truena tres veces.)

ANDREA—Siéntate. En el sofá. Las manos.

(Se sientan. Ella le masajea las manos. Él grita de dolor.)

ANDREA—Sopla, sopla, sopla. Son puntos de tensión, relájate.
ADRIÁN—De veras no sé qué hacer conmigo mismo. Lo de Gina, haber terminado lo de Villa también. Me quedé sin proyecto de vida... No hay héroes vivos alrededor nuestro; la Revolución está muerta: la de 1910 la asesinó precisamente tu abuelito. *(Grita de dolor por un punto de tensión que ANDREA le toca...)*
ANDREA—Sopla, sopla, sopla.

ADRIÁN—*(De plano llorando.)* Y la revolución de mi generación, se la secuestró la derecha, para deshuesarla, descojonarla... Así que sí, "me agobia la mediocridad". Me agobia voltear y ver la punta de mercaderes merolicos que detentan el poder en nuestra época. Puta madre, no sé de donde saqué que el mundo podía ser justo, y no el compendio de pequeñeces e indecencias que me dedico a delatar en el periódico desde hace veinte, veinticinco años. Estoy exhausto, Gina.

ANDREA—Andrea.

ADRIÁN—Andrea.

Andrea—*(Sacudiendo las manos porque el masaje ha terminado.)* Estabas cargado, papacito.

(Pausa: él la mira como por primera vez.)

ADRIÁN—¿Sabes algo? En serio te pareces al general Plutarco Elías Calles.

ANDREA—¿Por qué no? Soy su nieta.

ADRIÁN—Pero en esta luz, más. Se te forman sombras curiosas. *(Tocándole el rostro con el dedo índice).* Alrededor de los ojos, por ejemplo, de manera que los ojos se te ven más negros. Como si de valeriana. Chiquitos y de valeriana negra, casi azul: como los de él. Y en el labio superior, es decir: arriba del labio superior, tienes otra sombra, y parecería que llevas, como el general, un bigotito.

ANDREA—¿En serio?

ADRIÁN—Un bigotito. Hitleriano.

(Él le marca con el índice el lugar del bigotito... Ella, enternecida lo besa en el cuello.)

ANDREA—Oye Adrián..., ya en serio. ¿Por qué no escribes sobre don Plutarco?

ADRIÁN—¿Sobre tu abuelo?

Andrea—*(Besándole el cuello entre frases.)* Tengo su archivo personal, ahí en las habitaciones.

ADRIÁN—Debajo de tu cama.

ANDREA—Cerca. Como soy la menor de sus nietos, me tocó en herencia.

ADRIÁN—Con algunas propiedades además, supongo.

ANDREA—Latifundios. Fortunas en marcos suizos. *(Apartándose.)* ¿Qué pasa?

(De la cocina ha entrado Doña Micaela.)

Doña Micaela—Ya acabé, señora.

Andrea—Ay doña Mica, le pago el martes, ¿sí?, no tengo cambio.

Doña Micaela—Sí. Compermiso. *(Va a la puerta principal...)*

Adrián—Propio.

Doña Micaela—Gracias. *(Al salir se pone un pasamontañas, lo vemos por el instante en que termina de cerrarse la puerta.)*

Andrea—Volviendo a lo del archivo. *(Abraza a Adrián.)* Hay papeles inéditos, bastante sorprendentes. Hay documentos que en su época fueron secretos. Sería un libro revelador...

Adrián—No. Haría pedazos a tu abuelo. Maldito burgués nepotista corruptor vende Patrias jijo de la chingada. Es decir: lo haría mierda.

Andrea—No creo que le importe. Ya está hecho ceniza.

(Andrea va al librero y busca entre los libros. Saca el libro de Villa. Lo abre.)

Andrea—Voy a citarte. Lo tengo marcado con un separador de plata y subrayado con plumón amarillo. *(De una patada prende la grabadora. Suena un danzón.)* "Es en Plutarco Elías Calles en quien cristaliza definitivamente la traición a la revolución popular de Zapata y Villa". Bonita frase.

Adrián—Pues es cierto, aunque esté regularmente escrito.

Andrea—*(Muy seductora.)* Pruébamelo.

Adrián—¿Perdón?

Andrea—Oh sí, estás entendiendo bien: sistematiza el material confidencial de don Plutarco ... y pruébamelo, despacio, con fechas, con documentos, y para la Historia con h mayúscula...

Adrián—Já. El bigotito...

(Andrea lo besa en los labios, brevemente.
Adrián no reacciona, pero no se aparta.)

Adrián—Já.

(Andrea lo vuelve a besar, largamente.
Entra la punta de un cañón... El cañón sigue entrando, con Villa montado en el...)

Adrián—Puede ser. ¿Por qué no? Puede ser.

(Andrea *lo besa, brevemente.*
De golpe Adrián *se alza en pie, cargándola. La lleva al dormitorio,*
mientras Villa *termina de entrar sobre el cañón.*)

2. (Villa *mueve la manivela para desplegar el cañón telescópico. Es*
inmenso, impresionante, cruza la escena entera.
Villa *prende la mecha del cañón... Dispara. Pero la punta del*
cañón cae al suelo.
Entra a la sala, desde el dormitorio, Andrea, *en la bata japonesa*
de Gina. *Viene molesta, irritada. La irrita todavía más la pequeña bala*
que cae del cañón y bota en el suelo. Va al bar a servir dos copas de
coñac.)

3. (Adrián *regresa a la sala con sus zapatos y calcetines en las*
manos.
Pausa.)

Adrián—No... pude, y creo que... creo que, por un rato... no
voy a poder...

(*Se encamina a la puerta.*)

Adrián—...no voy a poder... olvidarla.

(*Sale.*)

(Andrea *se queda sola, dos copas de coñac en sendas manos.*)

(*OSCURO*)

[1] Bolero de Rafael Hernández.

[2] Bolero de Rodolfo Mendiolea.

Antonio Skármeta
Ardiente paciencia

La carrera literaria de Antonio Skármeta ha sido diversa y compleja. Nacido en Antofagasta en 1940, Skármeta estudió filosofía en la Universidad de Chile entre 1958 y 1963. Pasó dos años en Estados Unidos (1964 a 1966), fue becario de la Comisión Fulbright, y recibió la maestría en Columbia University con una tesis sobre "Julio Cortázar, novelista". Sus cuentos han sido recogidos en varios tomos: *El entusiasmo* (1967), *Desnudo en el tejado* (1969), con el que ganó el codiciado premio Casa de las Américas ese mismo año, *Tiro libre* (1973) y *Novios y solitarios* en 1975. Sus novelas incluyen *Soñé que la nieve ardía* (1975), *No pasó nada* (1978), *La insurrección* (1983) y *Match Ball* (1989). Además, es autor de varios guiones de cine que incluyen *La victoria, Reina la calma en el país, Desde lejos veo este país* y *La huella del desaparecido.* En Alemania, *La búsqueda* (1976) fue escogida como la mejor obra para radioteatro entre los 16 países que concursaron. Skármeta es más conocido como cuentista y novelista que como escritor teatral.

La novela corta *No pasó nada*, publicada junto con otros relatos (*De la sangre al petróleo, La llamada, Hombre con el clavel en la boca*), narra la historia sencilla de un adolescente chileno de 14 años tratando de adaptarse al exilio con su familia en Alemania. Sus aventuras, descritas con humor y un poco de picardía, captan la pena y el sufrimiento del exilio, incluso para aquellos jóvenes también atrapados en síndromes exílicos fuera de su propia responsabilidad. *La insurrección* (1983) narra la historia de un pequeño pueblo durante la revolución nicaragüense. Skármeta logra pintar las tensiones y las inquietudes de gente de las clases más humildes durante una época de crisis, no sólo en su país sino también en toda América. Su experiencia chilena, obviamente, le proporcionó elementos para adentrarse en este ambiente de guerra. Mientras escribía la novela, Skármeta preparó para el director Peter Lilienthal un guión de película, *Der Aufstand*, el cual ganó un premio alemán en el año 1980.

Su novela *Match Ball* narra la historia de un norteamericano, el doctor Raymond Papst, que vive un exilio voluntario y feliz en Berlín con la familia de su acaudalada esposa cuando entra en su vida la joven Sophie. Los efectos de una nueva situación amorosa tienen un impacto extraordinario sobre el doctor. La técnica narrativa consta de exploraciones del poder, salpicado con humor, con constantes referencias a la música y a la cultura popular (film, música rock y popular) así como también al arte, y a la música clásica.

Skármeta huyó de Chile en 1973 después del golpe militar. En Buenos Aires pasó dos años donde terminó su novela *Soñé que la nieve ardía*. Le dieron una beca a través del Programa Artístico en Berlín; allí se radicó y se casó con una alemana. Durante los 80 siguió escribiendo guiones y obras narrativas. En 1986 recibió una beca Guggenheim y fue nombrado, en 1988, profesor visitante de la Universidad de Washington en San Luis. Sus visitas a Chile después de 1985 fueron breves, pero regresó en 1991 para establecer y encabezar un exitoso programa de televisión, "El show de los libros". Se ha desempeñado en años recientes como embajador chileno en Alemania, viviendo en la nuevamente re-establecida capital de Berlín.

Aunque los chilenos siempre se consideran muy aislados por su geografía tan particular, no han sufrido ninguna escasez de talento dramático en años recientes. A mediados del siglo XX el prematuramente fallecido Luis Alberto Heiremans escribió textos ligeramente costumbristas y altamente poéticos. Su contemporáneo y compatriota Sergio Vodanović, al mismo tiempo, experimentaba con un teatro fuertemente comprometido desde la izquierda. El teatro chileno de la segunda mitad del siglo abarca algunas de las figuras teatrales de más importancia de todo el hemisferio, como Egon Wolff y Jorge Díaz, recopilados en nuestra antología anterior (*9 dramaturgos hispanoamericanos*), y Marco Antonio de la Parra, incluido también en esta nueva colección. Todos son autores prolíficos, al igual que Isidora Aguirre y María Asunción Requena, que se han dedicado totalmente a promover el teatro chileno.

Sería algo anómalo agregar a Antonio Skármeta a esta lista si no fuera por haber escrito *Ardiente paciencia*, pues pensamos que por sus indudables méritos, esta obra merece ser incluida en la presente edición.[1] El título remonta a dos palabras recogidas de un poema de Rimbaud citado por Pablo Neruda en su discurso de aceptación del Premio Nobel de Literatura en Estocolmo en 1971. La pieza teatral elogia la vida del famoso poeta laureado, uno de los grandes ídolos de Skármeta. En una entrevista que le hizo Michael Moody, Skármeta confiesa que "admiraba en Neruda su versatilidad, porque me parecía que era un poeta que contenía dentro de él mismo tantos poetas" (108). Skármeta también siente fascinación por Shakespeare, como señala en la misma entrevista con Moody, porque "Shakespeare crea ciertos tipos y ciertas relaciones entre los seres asignados por la ironía" (111). Una de las técnicas que emplea Skármeta constantemente es la yuxtaposición de dos entidades diferentes para que se note la ironía. El caso de Mario, el joven inocente, al lado de Neruda, la gran figura culta, permite provocar estas diferencias notables con su carga de ironía patente.

Ardiente paciencia se escribió como pieza teatral y se estrenó en Alemania en junio de 1983. Skármeta mismo dirigió una versión fílmica, usando un equipo alemán en Portugal. Luego revisó el texto para su publicación como novela en 1985. La obra ha sido traducida a varios idiomas y montada en tierras extranjeras. Los dos textos, teatro y novela, se parecen mucho. La novela se aprovecha de casi todo el diálogo de la pieza teatral con la adición de unos comentarios suplementarios.

Mary K. Addis y Mark A. Salfi, comentando la versión narrativa, se valen de las teorías de Jameson sobre el uso de la alegoría en la literatura del llamado "tercer mundo" para analizar los paralelismos entre los niveles de discurso masculino/femenino y la situación política chilena del momento. En un estudio muy perspicaz, indican cómo el desarrollo psicológico de Mario como hombre/poeta corresponde a su desarrollo político como estudiante de las ideas políticas de su héroe Neruda. La antagonista a su desarrollo, en el sentido humano y político, es su futura suegra Rosa González, quien se opone a la relación amorosa con su hija Beatriz, al mismo tiempo que rechaza sus ideas socialistas. Valiéndose de un lenguaje tosco y duro, es ella quien pone límites a la intromisión de Mario en la vida de su hija. Si Mario busca la metáfora exacta para endulzar el discurso, su suegra siempre remite a la expresión más cursi, más vulgar posible, como, por ejemplo, cuando ella le da a Beatriz una lección de anatomía. Este contraste entre niveles de discurso subraya no sólo la humanidad de los elementos dispares sino también las discrepancias en sus afiliaciones políticas. A fin de cuentas, si bien la pieza despliega las virtudes de Neruda, no sólo como poeta sino como hombre político inquietado por los cambios, es, al mismo tiempo, una celebración de la humanidad y los ciclos repetitivos de la naturaleza humana y física. Sobra decir que las características dominantes de la novela figuran casi iguales en el texto teatral.

El sujeto es la gran figura de Pablo Neruda, premio Nobel de Literatura, poeta distinguido a nivel internacional por sus poesías que abarcaban muchos estilos y variedades, desde sus odas elementales y poesías amorosas de gran ternura hasta poesías épicas con resonancias telúricas. La otra dimensión significativa de Neruda es su compromiso político. Durante muchos años miembro del Partido Comunista, encabezó varios proyectos que proponían mejorar las oportunidades para las víctimas de las capas bajas, tratando de encontrar soluciones a las desigualdades entre las clases sociales. Sirvió en varios puestos diplomáticos, primero, siendo joven, como cónsul honorario en Rangún (Birmania), e incluso como embajador de Chile en París hacia el final de su vida. Lo invitaron a postular para la presidencia de Chile en 1969, pero optó por no presentarse cuando su gran amigo Salvador Allende aceptó la nominación y fue elegido candidato único del Frente Popular. Irónicamente, Neruda fallece de cáncer el 23 de setiembre de 1973, sólo 12 días después del golpe militar de Pinochet que le costó la vida a Salvador Allende durante la toma del Palacio de la Moneda, sede de la presidencia de gobierno en Santiago de Chile. Neruda mismo, además de ser un poeta extraordinario, escribió una pieza teatral, *Fulgor y muerte de Joaquín Murieta* (1966). La pieza interpreta la vida y las andanzas del famoso bandido chileno durante la época de oro en California a mediados del siglo XIX, aunque en años recientes se cuestiona la historicidad y la existencia de Joaquín Murieta. Cuando Jorge Díaz, otro dramaturgo chileno, escribe una pieza sobre Pablo Neruda en los 90, la titula *Fulgor y muerte de Pablo Neruda*, haciendose así eco de la obra de Neruda.

La belleza de *Ardiente paciencia* reside en una inversión interesante. Para escribir sobre Pablo Neruda y su compromiso con la situación sociopolítica de Chile que desembocó en el golpe militar de 1973, Skármeta escoge la figura de Mario, el joven cartero que le trae sus cartas a la casa de Isla Negra. Lo que da interés dramático a la obra es la figura gigantesca y mítica de Pablo Neruda, vista por los ojos de este joven que está intentando establecer una relación amorosa con Beatriz, la chica de nombre inmortal en las historias del amor. Los primeros balbuceos poéticos de Mario, mientras intenta descubrir su voz poética para enamorar a Beatriz, resultan muy ingenuos. Efectivamente, en un principio, le parece necesario plagiar los versos bellos y maduros de Neruda. Pero poco a poco adquiere su propia voz. Se casa con Beatriz, tienen un hijo y se establece como adulto, lo cual corresponde al proceso de su maduración política. En las primeras escenas la pieza enfoca los aspectos personales de las relaciones humanas, y la inclusión de poemas nerudianos establece las inquietudes poéticas de Mario por el amor sensual con manifestaciones de fuerzas naturales en Isla Negra. La insistencia de Skármeta en los sonidos, la música y la calidad lírica de la poesía sirve de contrapeso a las tendencias políticas de la obra. En una versión temprana se señalaban a los sonidos y las luces como "personajes" en el reparto, y aunque desaparecen como tal en la versión posterior, quedan con las mismas funciones. Uno de los elementos más tiernos y nostálgicos de la obra es cuando Neruda le escribe a Mario desde París, pidiéndole una grabación de los sonidos de su querida Isla Negra que más añora: un viento fuerte que mueve campanas pequeñas, graznidos de gaviotas, las olas azotando un roquerío, la lluvia sobre las baldosas, y muchos más. El efecto subraya la calidad poética de la obra.

Cabe agregar que en 1995 se filmó *Il Postino*, una película italiana dirigida por Michael Radford (Miramax Films) como adaptación del texto de Skármeta. Recibió cinco nominaciones para el Oscar y ganó en la categoría de mejor guión dramático original. También recibió varios premios en las competencias inglesas: mejor film extranjero, mejor director y mejor guión. A pesar de las dificultades en adaptar a Neruda a un ambiente italiano, tal vez el éxito más notable haya sido la promoción de la poesía como elemento inmutable e infinitamente trascendental.

[1] A este respecto, el caso de Skármeta es similar al de su compatriota Ariel Dorfman, en cuanto a que ambos fueron víctimas de la persecusión política que existía en Chile en esos momentos y tuvieron que exiliarse. Dorfman, respetado novelista e incluso, profesor de literatura, alcanzó, años más tarde, un gran éxito en los Estados Unidos con su obra *La muerte y la doncella*, pieza que pone de manifiesto todos los horrores y traumas de la tortura. EL montaje que se hizo en Broadway, con la participación de actores de renombre como Glenn Close, Gene Hackman y Richard Dreyfuss, tuvo un éxito público extraordinario, aunque su acogida por parte de la crítica en Chile no fuera nada grata.

~ ≈ ~

Antonio Skármeta

Ardiente Paciencia

[Segunda versión y definitiva totalmente acorde con la versión publicada en alemán por Verlag del Autoren (nota del autor: 20.10.1985)]

Personajes

Pablo Neruda	60 años
Mario Jiménez	18 años
Beatriz González	16 años
Rosa Viuda de González	40 años
Dos policías	

Ardiente paciencia se estrenó en Alemania en junio de 1983.

Escena 1

(Voz de Neruda en off. Música.)

PABLO—Me paso casi todo el año 1969 en Isla Negra. Desde la mañana el mar adquiere su fantástica forma de crecimiento. Parece estar amasando un pan infinito. Es blanca como harina la espuma derramada, impulsada por la fría levadura de la profundidad.

En el invierno las casas de Isla Negra viven envueltas por la oscuridad de la noche. Sólo la mía se enciende. A veces creo que hay alguien en la casa de enfrente. Veo una ventana iluminada. Es sólo un espejismo. No hay nadie en la casa del capitán. Es la luz de mi ventana que se refleja en la suya.[1]

Escena 2

(En un costado la puerta de la casa de PABLO. Al otro extremo un teléfono público. PABLO rasga un sobre.)

MARIO—¿De dónde es?

PABLO—De Suecia.

MARIO—¿Y por qué la abre antes que las otras?

PABLO—Porque es la que más me interesa.

MARIO—¿Cómo sabe que es la que más le interesa antes de que la haya abierto?

PABLO—Porque es de Suecia.

MARIO—¿Y qué tiene de tan especial Suecia aparte de las suecas?

PABLO—El premio Nobel de Literatura, m'ijo.

MARIO—¿Se lo van a dar?

PABLO—Si me lo dan no lo voy a rechazar.

MARIO—¿Cuánto dinero es?

PABLO—125.500 dólares.

(Pausa.)

MARIO—¿Por qué recibe tantas cartas, don Pablo?

PABLO—¿Acaso te cansa traérmelas?

MARIO—No, al contrario. Me gusta. En verdad usted es el único que recibe cartas en la isla. Si usted no existiera yo no tendría esta pega.

PABLO—Voy a tratar de no morirme nunca, para que no quedes cesante.

MARIO—A mí me gustaría mucho recibir algún día una carta. ¿Qué se siente?

PABLO—Depende. Si esperas una carta de amor... ansiedad

MARIO—Ansiedad es como cosquillas, ¿no?

PABLO—Como cosquillas, sí.

MARIO—¿Qué dice la carta?

PABLO—Querido Mario, si me estás hablando todo el tiempo no puedo leerla.

MARIO—Perdone, don Pablo.

(PABLO lee la carta.)

MARIO—¿Y?

PABLO—¿Hmm?

MARIO—¿Le dan el Premio Nobel?

PABLO—Puede ser. Pero hay otros candidatos con más chance.

MARIO—¿Por qué?

PABLO—Porque han escrito grandes obras.

MARIO—¿Y las otras cartas?

PABLO—Las leeré después.

MARIO—¡Ah!

(Pausa.)

PABLO—¿Qué te quedaste pensando?

MARIO—En lo que dirán las otras cartas. ¿Serán cartas de amor?

PABLO—Hombre, yo estoy casado. ¡Tú conoces a Matilde!

MARIO—Perdón, don Pablo.

PABLO—Bueno, toma, aquí tienes, para que te compres algo.

MARIO—Gracias.

PABLO—Hasta luego.

MARIO—Hasta luego.

(Pausa.)

PABLO—¿Qué te pasa?

MARIO—¿Don Pablo?

PABLO—¿Te quedas ahí parado como un poste?

MARIO—¿Clavado como una lanza?

PABLO—No, quieto como torre de ajedrez.

MARIO—¿Más tranquilo que gato de porcelana?

PABLO—*(Riendo.)* Te ha dado por las metáforas.

MARIO—¿Don Pablo?

PABLO—Las metáforas, hombre.

MARIO—¿Qué son esas cosas?

PABLO—Modos de decir una cosa, comparándola con otra. ¿Comprendes?

MARIO—Déme un ejemplo.

PABLO—Bueno, cuando tú dices que el cielo está llorando... ¿qué es lo que quieres decir?

MARIO—¡Qué fácil! Que está lloviendo, pues.

PABLO—Bueno, eso es una metáfora.

MARIO—¿Y por qué si es una cosa tan fácil, se llama tan complicado?

PABLO—Porque los nombres no tienen nada que ver con la simplicidad o dificultad de las cosas. Según tu teoría una cosa chica que vuela no debiera tener un nombre tan grande como "mariposa". Piensa que "elefante" tiene la misma cantidad de letras que "mariposa" y que es mucho más grande y no vuela. *(Pausa.)* ¿Qué te quedaste pensando?

MARIO—Que me gustaría ser poeta.

PABLO—Hombre, en Chile todos son poetas. Es más original que sigas siendo cartero. Por lo menos caminas mucho y no engordas. En Chile todos los poetas somos guatones.

MARIO—Es que si fuera poeta podría decir lo que quiero.

PABLO—¿Y qué es lo que quieres decir?

MARIO—Bueno, ése es justamente el problema. Que como no soy poeta no puedo decirlo.

(Pausa.)

PABLO—¿Mario?

MARIO—¿Don Pablo?

PABLO—Voy a despedirme y a cerrar la puerta.

MARIO—Sí, don Pablo.

PABLO—Hasta mañana.

MARIO—Hasta mañana.

(Pablo cierra la puerta. Mario no se mueve. Pablo vuelve a abrir la puerta.)

Pablo—Volví a abrir porque sospechaba que seguías aquí.

Mario—Es que me quedé pensando.

Pablo—Y para pensar te quedas parado. Si quieres ser poeta, comienza por pensar caminando. Ahora que vas hasta el correo caminando por la playa, y mientras vas viendo el mar, puedes ir inventando metáforas.

Mario—Déme un ejemplo.

Pablo—Mira este poema: "Aquí en la isla el mar, y cuánto mar. Se sale de sí mismo a cada rato, dice que sí, que no, que no; que no, que no; dice que sí, en azul, en espuma, en galope, dice que no, que no. No puede estarse quieto, me llamo mar repite pegando en una piedra sin lograr convencerla, entonces con siete lenguas verdes, de siete perros verdes, de siete tigres verdes, de siete mares verdes, la recorre, la besa, la humedece y se golpea el pecho repitiendo su nombre". *(Pausa.)* ¿Qué te parece?

Mario—Raro.

Pablo—¿Raro? ¡Qué crítico más severo que eres!

Mario—No, raro no es el poema. Raro es como yo me siento cuando usted dice el poema.

Pablo—Querido Mario, a ver si te desenredas un poco, porque no puedo pasar toda la mañana disfrutando de tu charla.

Mario—Bueno, ¿cómo se lo explicara? Cuando usted decía el poema, las palabras iban para aquí y para allá.

Pablo—¡Como el mar, pues!

Mario—¡Sí, pues, se movían igual que el mar!

Pablo—Es el ritmo.

Mario—Y me sentí raro, porque con tanto movimiento, me mareé, pues.

Pablo—¡Te mareaste!

Mario—Sí, pues, yo iba como un barco temblando en sus palabras.

Pablo—*Como un barco temblando en mis palabras.*

Mario—Sí, pues.

Pablo—¿Sabes lo que has hecho?

Mario—¿Qué, pues?

Pablo—Una metáfora.

MARIO—*(Riendo.)* Pero no vale la pena porque me salió por casualidad.

PABLO—No hay imagen que no sea casual, mi hijo. El mundo mismo es una enorme casualidad.

MARIO—Usted cree que el mundo, quiero decir *todo el mundo,* con el viento, los mares, los árboles, las montañas, el fuego, los animales, las casas, los desiertos, las lluvias...

PABLO—...ahora ya puedes decir "etcetera"...

MARIO—...¡etcétera! ¿Usted cree que el mundo entero es metáfora de algo?

(Pausa.)

MARIO—¿Don Pablo?

PABLO—¿Mario?

MARIO—¿Es una huevada lo que pregunté?

PABLO—No, hombre, no.

MARIO—Es que se le puso una cara tan rara.

PABLO—No, lo que sucede es que me quedé pensando.

MARIO—¿Sobre lo que le pregunté?

PABLO—Exacto. Mira, Mario, vamos a hacer un trato. Yo ahora me voy a la cocina, me preparo una omelette de aspirinas para pensar tu pregunta y mañana te doy mi opinión.

MARIO—¿En serio, don Pablo?

PABLO—Sí, hombre, sí. Hasta mañana.

MARIO—No se va a entrar.

PABLO—Ah, no. Esta vez espero a que te vayas.

MARIO—Hasta luego, don Pablo. *(Pausa, luego desde lejos.)* Hasta luego, don Pablo.

APAGÓN

Escena 3

(Voz de Neruda en off.)

PABLO—

    Soneto para Matilde

Sabrás que no te amo y te amo
puesto que de dos modos es la vida,
la palabra es un ala del silencio,
el fuego tiene una mitad de frío.

Yo te amo para comenzar a amarte
para recomenzar el infinito
y para no dejar de amarte nunca:
por eso no te amo todavía.

Te amo y no te amo como si tuviera
en mis manos las llaves de la dicha
y un incierto destino desdichado.

Mi amor tiene dos vidas para amarte.
Por eso te amo cuando no te amo
y por eso te amo cuando te amo.[2]

Escena 4

(La escena se ilumina. MARIO toca con insistencia la campanilla en la puerta de PABLO.)

PABLO—*(Desde lejos.)* Ya voy. *(Abre la puerta.)* Ah, eres tú.

MARIO—Tuve suerte. ¡Telegrama!

PABLO—Tuviste que madrugar.

MARIO—No me importa. Tuve mucha suerte porque necesitaba hablar con usted.

PABLO—Debe ser muy importante. Jadeas como un caballo.

MARIO—Don Pablo: ¡estoy enamorado!

PABLO—Bueno, no es tan grave. Eso tiene remedio.

MARIO—¿Remedio? Don Pablo, si eso tiene remedio yo sólo quiero estar enfermo. Estoy enamorado, perdidamente enamorado.

PABLO—¿Contra quién?

MARIO—¿Don Pablo?

PABLO—¿*De* quién, hombre?

MARIO—Se llama Beatriz.

PABLO—¡Dante, diantres!

MARIO—¿Don Pablo?

PABLO—Hubo un poeta que se enamoró de una tal Beatriz. Se llamaba Dante. Las beatrices producen amores grandes. ¿Qué haces?

MARIO—Me escribo el nombre del poeta ése, Dante.

PABLO—Dante Alighiere.

MARIO—Con "h".

PABLO—No, hombre, con "A".

MARIO—"A" como "amapola".

PABLO—Como "amapola" y "apio".

MARIO—¿Don Pablo?

PABLO—Pasa, que yo te lo escribo. *(Ruido de lápiz sobre papel.)* Ahí lo tienes. *(Pausa.)* ¿Y bien?

MARIO—¡Estoy enamorado!

PABLO—Eso ya lo dijiste; y yo, ¿en qué puedo servirte?

MARIO—¡Tiene que ayudarme!

PABLO—¡Hijo, a mis años!

MARIO—Tiene que ayudarme porque no sé qué decirle. La veo delante mío y es como si estuviera mudo. ¡No me sale una sola palabra!

PABLO—¿No has hablado con ella?

MARIO—Casi nada. Anoche me fui paseando por la playa como usted dijo, miré el mar mucho rato y no se me ocurrió nada. Entonces entré a la hostería y me compré una botella de vino. Con la propina que usted me dio. Bueno, fue *ella* quien me vendió la botella.

PABLO—Beatriz.

MARIO—Beatriz. La quedé mirando y me enamoré de ella.

PABLO—¿Así tan rápido?

MARIO—No, tan rápido no. La quedé mirando como diez minutos.

PABLO—¿Y ella?

MARIO—Y ella me dijo: "¿Qué mirái, acaso tengo monos en la cara?"

PABLO—¿Y tú?

MARIO—A mí no se me ocurrió nada.

PABLO—¿Nada de nada? ¿No le dijiste ni una palabra?

MARIO—Tanto como nada de nada, no. Le dije... cinco palabras.

PABLO—¿Cuáles?

MARIO—"¿Cómo te llamas?"

PABLO—¿Y ella?

MARIO—Ella me dijo "Beatriz González".

PABLO—Le preguntaste "cómo te llamas". Bueno, hace tres palabras. ¿Cuáles fueron las otras dos?

MARIO—"Beatriz González".

PABLO—Beatriz González.

MARIO—Ella me dijo "Beatriz González" y entonces yo repetí "Beatriz González".

PABLO—Hijo, me has traído un telegrama urgente y si seguimos conversando sobre Beatriz González la noticia se me va a podrir en las manos.

MARIO—Está bien, ábralo.

PABLO—Tú como cartero debieras saber que la correspondencia es privada.

MARIO—Don Pablo, ¡yo jamás le he abierto una carta!

PABLO—No digo eso. Lo que quiero decir es que uno tiene derecho a leer sus cartas tranquilo, sin espías ni sin testigos.

MARIO—Comprendo, don Pablo.

PABLO—Me alegro.

MARIO—Hasta luego, don Pablo.

PABLO—Hasta luego, Mario. Toma, aquí tienes para que te compres algo.

MARIO—Don Pablo, si no fuera mucha molestia me gustaría pedirle que en vez de darme dinero me escribiera un poema para ella.

PABLO—Mario, pero si ni siquiera la conozco. Un poeta necesita conocer a una persona para inspirarse. No puede llegar a inventar algo de la nada.

MARIO—Y entonces, ¿qué le digo? Usted es la única persona en esta isla que puede ayudarme. Todos los otros son pescadores que no saben decir nada.

PABLO—Pero esos pescadores también se enamoraron y supieron decirle algo a las muchachas que les gustaban.

MARIO—Cabezas de pescado.

PABLO—Pero las enamoraron y se casaron con ellas. ¿Qué hace tu padre?

MARIO—Es pescador.

PABLO—Ahí tienes. Él tiene que haber hablado a tu madre alguna vez para convencerla que se casara con él.

MARIO—Don Pablo, Beatriz González es más linda que mi madre.

PABLO—Querido Mario, no resisto la curiosidad de leer el telegrama. ¿Si me permites?

MARIO—Está en su casa, don Pablo.

PABLO—Gracias. *(Rasga el sobre.)* Veamos.

MARIO—No es de Suecia, ¿no?

PABLO—*(Distraído.)* No, no.

MARIO—Usted cree que le darán el premio Nobel este año?

PABLO—He decidido dejar de preocuparme por eso. Ya me parece irritante ver aparecer mi nombre en las competencias anuales como si yo fuera un caballo de carrera.

MARIO—¿De quién es la carta entonces?

PABLO—Del Comité Central del Partido. *(Pausa, ruido de papeles.)* ¡Dios mío!

MARIO—¿Malas noticias?

PABLO—¡Pésimas! Me ofrecen ser candidato a la presidencia de la República.

MARIO—¡Don Pablo, pero eso es formidable!

PABLO—Formidable que te nombren candidato, pero ¿y si llego a ser elegido?

MARIO—Claro que va a ser elegido. A usted lo conoce todo el mundo. En la casa de mi padre hay un solo libro y es suyo.

PABLO—¿Y eso qué prueba?

MARIO—¿Cómo que qué prueba? Si mi papá que no sabe leer ni escribir tiene un libro suyo, eso significa que ganaremos.

PABLO—¿Ganaremos?

MARIO—Claro, yo voy a votar por usted de todas maneras.

PABLO—Te agradezco tu apoyo. Ahora te acompaño hasta la hostería para conocer a esa famosa Beatriz González.

MARIO—Don Pablo, ¿está bromeando?

PABLO—Estoy hablando en serio. Nos vamos hasta el bar, probamos un vinito y le echamos una mirada a la novia.

MARIO—*(Excitado.)* Se va a morir de impresión si nos ve juntos. Pablo Neruda y Mario Jiménez juntos tomando vino en la hostería. ¡Se muere!

PABLO—Eso sería muy triste, en vez de escribirle un poema habría que confeccionarle un epitafio. Vamos. *(Pausa.)* ¿Y ahora qué pasa?

MARIO—Don Pablo, si me caso con Beatriz González... ¿usted aceptaría ser el padrino de la boda?

PABLO—Después que nos tomemos el vino en la hostería vamos a decidir sobre las dos cuestiones.

MARIO—¿Cuáles dos?

PABLO—La presidencia de la República y Beatriz González.

APAGÓN

Escena 5

(Voz de Neruda en off. Ruido de máquina de escribir.)

PABLO—La vida política vino como un trueno a sacarme de mis trabajos. Regresé una vez más a la multitud. La multitud humana ha sido para mí la lección de mi vida. Puedo llegar a ella con la inherente timidez del poeta, con el temor del tímido, pero, una vez en su seno, me siento transfigurado. Soy parte de la esencial mayoría, soy una hoja más del gran árbol humano.[3]

Escena 6

(Habitación a oscuras de BEATRIZ.)

MAMÁ—¿Estás durmiendo?

BEATRIZ—No, mamá.

MAMÁ—¿Qué haces?

BEATRIZ—¿Estoy pensando?

MAMÁ—¡Tú pensando! *(La MADRE enciende la luz.)*

BEATRIZ—Mamá, ¿por qué prende la luz?

MAMÁ—Si estás pensando, quiero ver qué cara pones cuando piensas.

BEATRIZ—Apague la luz, mamá.

MAMÁ—Y en pleno invierno con la ventana abierta.

BEATRIZ—Es mi pieza, mamá.

MAMÁ—Pero las cuentas del médico, las pago yo. Vamos a hablar claro, Beatriz. ¿Quién es él?

BEATRIZ—¿Quién?

MAMÁ—Sabes muy bien de quién te estoy hablando. Te vi con él sentada en las rocas.

BEATRIZ—Mamá, tengo dieciséis años!

MAMÁ—Y yo ya tengo canas, y estas canas significan experiencia. ¿Quién es?

BEATRIZ—Se llama Mario.

MAMÁ—¿Qué hace?

BEATRIZ—Es cartero.

MAMÁ—¿Cartero? ¿Cartero en Isla Negra? Te está mintiendo.

BEATRIZ—¿Que no le vio el bolsón?

MAMÁ—Sí, le vi el bolsón y vi para qué usó el bolsón. Para meter la botella de vino.

BEATRIZ—Porque ya había terminado el reparto.

MAMÁ—¿A quién le lleva cartas?

BEATRIZ—A don Pablo.

MAMÁ—¿Neruda?

BEATRIZ—Son amigos, pues.

MAMÁ—¿Él te lo dijo?

BEATRIZ—Estuvieron todo el tiempo conversando. ¿No vio acaso?

MAMÁ—¿De qué hablaron?

BEATRIZ—De política.

MAMÁ—¿Ah, además es comunista?

BEATRIZ—Mamá, ¡don Pablo va a ser presidente de Chile!

MAMÁ—Mijita, si usted confunde la poesía con la política lueguito va a ser madre soltera. Y aquí está su madre para evitarlo. ¿Qué te dijo?

BEATRIZ—¿Quién?

MAMÁ—El cartero.

BEATRIZ—No habló mucho, pero me estuvo casi todo el tiempo mirando.

MAMÁ—En el bar. ¿Pero después, cuando fueron a las rocas?

Beatriz—Me habló de su trabajo.

Mamá—Qué interesante.

Beatriz—Claro que es interesante. Se conoce a mucha gente.

Mamá—En Isla Negra el único que recibe cartas es el poeta. Los otros son analfabetos.

Beatriz—Bueno, con el poeta basta. Él le da buenas propinas.

Mamá—Y las invierte en vino.

Beatriz—El poeta le regala las estampillas. Me contó que tiene un álbum con estampillas de todo el mundo.

Mamá—¿Y te invitó a las rocas para mirarlo?

Beatriz—Mamá, quiero dormir.

Mamá—¿Qué te dijo? Quiero saber qué te dijo cuando fueron a las rocas.

Beatriz—Metáforas. *(Pausa.)* ¿Qué le pasa mamá? ¿Qué se quedó pensando?

Mamá—Primera vez que te oigo decir una palabra tan larga. ¿Qué *metáforas* te dijo?

Beatriz—Me dijo… me dijo que mi sonrisa se extiende como una mariposa en mi rostro.

Mamá—¿Y qué más?

Beatriz—Bueno, cuando me dijo eso yo me reí.

Mamá—¿Y entonces?

Beatriz—Entonces dijo una cosa de mi risa. Dijo que mi risa era una rosa, una lanza que se desgrana, un agua que estalla. Dijo que mi risa era una repentina ola de plata.

Mamá—¿Y qué hiciste entonces?

Beatriz—Me quedé callada.

Mamá—¿Y él?

Beatriz—¿Qué más me dijo?

Mamá—No, mijita. ¿Qué más le *hizo*? Porque tu cartero además de boca ha de tener manos.

Beatriz—No me tocó en *ningún* momento. Dijo que estaba feliz de estar así junto a mí, tendido junto a una joven pura como a la orilla de un océano blanco.

Mamá—¿Y tú?

Beatriz—Yo me quedé callada pensando.

Mamá—¿Y él?

BEATRIZ—Me dijo que le gustaba cuando callaba porque estaba como ausente.

MAMÁ—¿Y tú?

BEATRIZ—Yo lo miré.

MAMÁ—¿Y él?

BEATRIZ—El me miró también. Y después dejó de mirarme a los ojos y se estuvo un largo rato mirándome el pelo sin decir nada. Después se pasó la mano por su pelo y me dijo: "Me falta tiempo para celebrar tus cabellos, uno por uno debo contarlos y alabarlos".

(Pausa.)

MAMÁ—Mijita, no me cuente más. Estamos frente a un caso muy peligroso. Todos los hombres que primero tocan con la palabra, después pueden llegar más lejos con las manos.

BEATRIZ—Pero mamá, ¿qué tienen de malo las palabras?

MAMÁ—No hay peor droga que el bla-blá. Hace sentir a una mesonera de pueblo como una princesa veneciana. Y después cuando viene el momento de la verdad, la vuelta a la realidad, te das cuenta que las palabras son un cheque sin fondo. ¡Prefiero mil veces que un borracho te toque el culo en el bar, a que te digan que una sonrisa tuya vuela más alto que una mariposa!

BEATRIZ—Se *extiende* como una mariposa.

MAMÁ—Que *vuele* o se *extienda* da lo mismo. ¿Y sabes por qué? Porque detrás de las palabras no hay nada. Son luces de bengala que se deshacen en el aire.

BEATRIZ—Las palabras que me dijo Mario, no se han deshecho en el aire. Las sé de memoria. Me gusta pensar en ellas cuando trabajo.

MAMÁ—Okey. ¡Mañana temprano haces tu maleta y te vas unos días donde tu tía en Santiago!

BEATRIZ—Pero, mamá. Yo no quiero.

MAMÁ—Tu opinión no me importa. Esto se puso grave.

BEATRIZ—¿Qué tiene de grave que un cabro te hable? ¡A todas las chiquillas les pasa!

MAMÁ—Primero, que se nota a la legua que las cosas que te dice se las ha copiado a don Pablo.

BEATRIZ—Nunca me dijo que eran de él. Pero me miraba y le salían cosas así como pájaros de la boca.

MAMÁ—¿Como "pájaros en la boca"? Esta noche haces tu maleta y te vas mañana a Santiago. ¿Tú sabes cómo se llama cuando uno dice cosas de otro sin decir de quién son? ¡Plagio! Tu Mario puede ir a dar a la cárcel por andarte diciendo... metáforas. Yo misma le voy a telefonear al poeta y le voy a decir que el cartero le anda robando los versos.

Beatriz—Mamá, ¿cómo se le ocurre que don Pablo va a andar preocupándose de esas cosas? Lo han nombrado candidato a la presidencia de la República, tal vez le den el Premio Nobel de Literatura, y usted le va a ir a conventillear por un par de metáforas.

Mamá—Un par de metáforas. ¿Te has visto como estás?

Beatriz—¿Mamá?

Mamá—Estás húmeda como una planta. Tienes una calentura, hija, que sólo se cura con dos medicinas. Los viajes o la cama. ¡Anda haciendo tu maleta!

Beatriz—No pienso. Me quedo.

Mamá—Mijita, los ríos arrastran piedras y las palabras embarazos.

Beatriz—Yo sé cuidarme.

Mamá—¿Qué va a saber cuidarse usted? Así como está usted acabaría con el roce de una uña. Y acuérdese que yo leía a Neruda antes que usted y sé perfectamente bien que cuando los hombres se calientan hasta el hígado se les pone poético.

Beatriz—Neruda es una persona seria. Va a ser el candidato de la izquierda. Va a ser presidente.

Mamá—Tratándose de ir a la cama no hay ninguna diferencia entre un liberal, un cura o un poeta comunista. Y los poetas son los peores. Y Neruda, el peor sin duda.

Beatriz—(Riéndose.) Neruda, el peor sin duda. Le salió en verso.

Mamá—¡Tú, ríete no más! ¿Sabes quién escribió esto: "Amo el amor de los marineros que besan y se van. Dejan una promesa no vuelven nunca más?"

Beatriz—Neruda.

Mamá—Neruda. ¡Y te quedas tan chicha fresca!

Beatriz—Yo no armaría tanto escándalo por un beso.

Mamá—Por el beso no, pero el beso es la chispa que arma el incendio. Y aquí tienes otro verso de Neruda: "Amo el amor que se reparte, en besos lecho y pan, amor que quiere libertarse para volver a amar". O sea, mijita, en términos prácticos, la cosa es hasta con desayuno en la cama.

Beatriz—¡Mamá!

MAMÁ—Y después su cartero le va a recitar el inmortal poema nerudiano que escribí en mi cuaderno cuando tenía su misma edad, señorita: "Yo no lo quiero, amada. Para que nada nos amarre, para que no nos una nada".

BEATRIZ—Eso no lo entendí.

MAMÁ—*(Mascando cada palabra.)* "Yo - no - lo - quiero - amada - para - que - nada - nos - amarre - para - que - no - nos - una - nada".

BEATRIZ—¿El anillo?

MAMÁ—*(Irónica.)* Sí, mijita, el anillo. Haga su maletita, tranquilita.

(Pausa.)

BEATRIZ—Mamá, esto es ridículo. Porque un hombre me dijo que la sonrisa me aleteaba en la cara como una mariposa tengo que irme a Santiago.

MAMÁ—*(Gritando.)* ¡No sea pajarona! Ahora su sonrisa es una mariposa, pero mañana tus tetas van a ser dos palomas que quieren ser arrulladas, tus pezones van a ser dos jugosas frambuesas, tu lengua va a ser la tibia alfombra de los dioses, tu culo va a ser el velamen de un navío, y la cosa que tienes entre las piernas va a ser el horno azabache donde se forja el erguido metal de la raza. ¡Buenas noches!

Escena 7

(BEATRIZ de espaldas al público frente a su ventana. Al otro extremo del escenario está PABLO. Éste avanza hacia el proscenio y le habla al público.)

PABLO—Hasta ese momento todos los partidos de la izquierda tenían sus candidatos y todos querían que su respectivo candidato fuera el candidato único de la izquierda. Cuando el partido me propuso a mí como su candidato, y yo acepté, hicimos ostensible nuestra posición. Nuestro apoyo sería para el candidato que contara con la voluntad de los otros. Si no nos uníamos en una aspiración electoral común, seríamos abrumados por una derrota espectacular. Si no se lograba tal consenso, mi postulación se mantendría hasta el final. Era un medio heroico de obligar a los otros a ponerse de acuerdo, porque era harto improbable que la unidad pudiera lograrse alrededor de un comunista.

Pero mi candidutura agarró fuego. No había sitio donde no me solicitaran. Llegué a enternecerme ante aquellos centenares o miles de hombres y mujeres del pueblo que me estrujaban, me besaban y lloraban. A todos ellos les hablaba o les leía mis poemas a plena lluvia, en el barro de calles y caminos, bajo el viento austral que hace tiritar la gente. Me estaba entusiasmando. Cada vez asistía más gente a mis concentraciones, cada vez acudían más mujeres. Con fascinación y terror comencé a pensar qué iba a ser yo si salía elegido presidente de la república más chúcara, más dramáticamente insoluble, la más endeudada y, posiblemente, la más ingrata. Los presidentes eran aclamados durante el primer mes y martirizados, con o sin justicia, los cinco años y los once meses restantes.

En un momento afortunado llegó la noticia: Allende surgía como candidato posible de la entera Unidad Popular. Previa la aceptación de mi partido, presenté rápidamente la renuncia a mi candidatura. Ante una inmensa y alegre multitud hablé yo para renunciar y Allende para postularse.[4]

(Con estas últimas palabras se apagan las luces. De un stereo suena con volumen fuerte variaciones y fuga de piano sobre el tema "El Pueblo Unido" de Sergio Ortega.)

Escena 8

(Puerta de la casa de Neruda. Éste está pintando el marco de color verde. MARIO llega corriendo.)

PABLO—Bufas como una locomotora.

MARIO—*(Ahogado.)* Don Pablo.

PABLO—¡Toma un poco de agua, hombre!

MARIO—Don Pablo. Le traigo una carta.

PABLO—Siendo tú cartero, no me extraño.

MARIO—Don Pablo, como amigo, vecino y compañero, le pido que la abra y me la lea

PABLO—¿Y por qué tanta prisa?

MARIO—Porque es de la madre de Beatriz.

PABLO—¡La madre de Beatriz me escribe a mí! Aquí hay gato encerrado. A propósito, hoy escribí mi oda al gato. Le di tres imágenes que me convencen: el gato es un mínimo tigre de salón, es la policía secreta de las habitaciones, y es el sultán de las tejas eróticas. ¿Qué te parece?

MARIO—La carta, por favor.

(PABLO rasga el sobre y desdobla la carta.)

PABLO—"Estimado don Pablo. Quien le escribe es Rosa viuda de González, encargada de la Hostería de Isla Negra, admiradora de su poesía, y simpatizante demócrata-cristiana. Aunque no hubiera votado por usted, ni votaré por Allende en las próximas elecciones, le pido como madre, como chilena y como vecina de Isla Negra una cita urgente para hablar con usted sobre un tal Mario Jiménez, seductor de menores. Sin otro particular, lo saluda atentamente, Rosa viuda de González". Compañero Mario Jiménez, en esta cueva yo no me meto, dijo el conejo.

MARIO—*(Gritando.)* Bueno, entonces ¿qué hago?

PABLO—Primero que nada callarte porque no soy sordo.

MARIO—Perdón, don Pablo.

PABLO—Segundo, te vas a tu casa a dormir una siesta. Tienes unas ojeras más anchas que plato sopero.

MARIO—¿Dormir yo? Hace exactamente una semana que no pego una pestañada. Mi papá me dice el buho, y mi mamá la lechuza.

PABLO—Y dentro de una semana te van a poner ese chaleco de madera que se llama ataúd. Mario Jiménez, esta conversación es más larga que tren de cargo. Me perdonarás si ahora me dedico a las otras cartas.

MARIO—Pero no me puede dejar botado, don Pablo. Escríbale a la señora y pídale que no sea loca.

PABLO—Hijo, yo soy poeta nada más. No domino los eximios artes de destripar suegras.

MARIO—Poeta y futuro presidente de Chile: Usted me metió en este lío y usted de aquí me saca. Usted me regaló sus libros, me enseñó a usar la lengua para algo más que pegar estampillas. Usted tiene la culpa de que yo me haya enamorado.

PABLO—Como dicen los mexicanos, "Los patos disparándole a la escopeta".

MARIO—Usted tiene que ayudarme porque usted escribió una vez: "No me gusta la casa sin tejado, la ventana sin vidrios. No me gusta el día sin trabajo ni la noche sin sueño. No me gusta el hombre sin mujer, ni la mujer sin hombre. Yo quiero que las vidas se integren encendiendo los besos hasta ahora apagados. Yo soy el buen poeta casamentero". Supongo que ahora no me dirá que éste es un cheque sin fondos.

PABLO—Según tu lógica a Shakespeare habría que meterlo preso por el asesinato del padre de Hamlet. Si el pobre Shakespeare no lo hubiera escrito seguro que no le pasaba nada.

MARIO—Don Pablo, no me enrede más de lo que estoy. Lo que le pido es muy simple. Contéstele la carta a esa señora y convénzala que me deje ver a Beatriz.

PABLO—¿Y con eso te declaras feliz?

MARIO—Feliz.

PABLO—¿Si ella te deja ver a la muchacha, me dejas en paz?

MARIO—Por lo menos hasta manana.

PABLO—Algo es algo. Ven que vamos a telefonearle.

MARIO—¿Ahora mismo?

PABLO—Al tiro. *(Pausa.)* Desde aquí se siente que el corazón te ladra como un perro. ¡Sujétatelo hombre con la mano!

MARIO—No puedo controlarlo.

PABLO—*(Descolgando el teléfono.)* Dame el número de la hostería.

MARIO—Uno.

PABLO—Te debe haber costado un mundo memoralizarlo. *(Disca el número. El timbre suena un par de veces y luego se levanta el fono.)* ¿Señora Rosa viuda de González?

MAMÁ—*(Off.)* A sus órdenes.

PABLO—Aquí le habla Pablo Neruda.

MAMÁ—Ajá.

PABLO—Quería agradecerle por su amable cartita.

MAMÁ—No me agradezca nada, señor. Quiero hablar con usted inmediatamente.

PABLO—Dígame, doña Rosa.

MAMÁ—Personalmente.

PABLO—¿Y dónde?

MAMÁ—Donde mande.

PABLO—Entonces, en mi casa.

MAMÁ—Voy.

MARIO—¿Qué dijo?

PEDRO—"Voy". Por lo menos aquí jugamos de local, muchacho. *(NERUDA va hasta el tocadiscos, y pone un disco.)* Te traje de Santiago un regalo muy especial: el himno oficial de los carteros. *(Comienza a sonar "Please, Mister Postman" de Los Beatles. Neruda baila el tema. MARIO lo mira fascinado. El baile se interrumpe cuando NERUDA ve llegar desde el público a DOÑA ROSA. NERUDA oculta a MARIO tras la puerta. Para la música. DOÑA ROSA entra al escenario.)* Asiento, doña Rosa.

MAMÁ—Lo que tengo que decirle es muy grave para hablar sentada.

PABLO—¿De qué se trata, señora?

MAMÁ—Desde hace algunos días merodea mi hostería ese tal Mario Jiménez. Este señor se ha insolentado con mi hija de apenas dieciséis años.

PABLO—¿Qué le ha dicho?

MAMÁ—¡Metáforas!

(Pausa.)

PABLO—¿Y?

MAMÁ—Que con las metáforas, pues don Pablo, tiene a mi hija más caliente que una termita.

PABLO—Es invierno, doña Rosa.

MAMÁ—Mi pobre Beatriz se está consumiendo entera por ese cartero. Un hombre cuyo único capital son los hongos entre los dedos de sus pies trajinados. Pero si sus pies bullen de microbios, su boca tiene la frescura de una lechuga y es enredosa como un alga. Y lo más grave, don Pablo, es que las metáforas para seducir a mi niñita se las ha copiado descaradamente de sus libros.

PABLO—¡No!

MAMÁ—¡Sí, señor! Comenzó inocentemente hablando de una sonrisa que era una mariposa. Pero después ya le dijo que su pecho era como un fuego de dos llamas.

PABLO—Y la imagen empleada, ¿usted cree que fue visual o táctil?

MAMÁ—Táctil. Mi hija ahora anda tan encendida que no se necesita prender la chimenea cuando está en la casa. Si ella está alrededor alcanza para calefaccionar el salón, la cocina, los dormitorios, la terraza y la bodega.

PABLO—¡Qué economía!

MAMÁ—La quise mandar a Santiago, pero se negó. Entonces le prohibí salir de la casa hasta que el señor Jiménez escampe. Usted encontrará cruel que la aísle de esta manera. Pero fíjese que le pillé chamuscado en medio de sus senos el siguiente poema: "Desnuda eres tan simple como una de tus manos, lisa, terrestre, mínima, redonda, transparente, tienes líneas de luna, caminos de manzana, desnuda eres delgada como el trigo desnudo. Desnuda eres azul como la noche en Cuba, tienes enredaderas y estrellas en el pelo. Desnuda eres enorme y amarilla como el verano en una iglesia de oro".⁵ ¡Es decir, señor Neruda, que el cartero ha visto a mi hija en pelotas! El poema lamentablemente no miente. Así es mi hija cuando está desnuda. Por ahora no lo voy a acusar al tal Mario Jiménez de seducción de menores. Pero le imploro a usted, en quien se inspira y confía, que le ordene a ese tal Mario Jiménez, cartero y plagiario, que se abstenga desde hoy y para toda la vida de ver a mi hija. Y si así no lo hace, hágale saber que yo misma me encargaré de arrancarle los ojos como a su ilustre predecesor: Miguel Strogoff. ¡Hasta luego!

PABLO—(*Habla suave sólo cuando la madre ha abandonado la escena.*) Hasta luego. (*PABLO abre la puerta donde se oculta MARIO. Sin mirarlo.*) Mario Jiménez, estás pálido como un saco de harina.

MARIO—Don Pablo, si por fuera estoy pálido, por dentro estoy lívido.

PABLO—No son los adjetivos los que van a salvarte de los fierros candentes de la señora González. Ya te veo repartiendo cartas con un bastón blanco y un perro negro, con las cuencas de tus ojos tan vacías como alcancía de mendigo.

MARIO—Si no la puedo ver a ella, para qué quiero mis ojos.

PABLO—Usted maestro está muy nuevo: no distingue entre la poesía y el bolero. Esta señora González tal vez no cumpla su amenaza, pero si la cumple podrás repetir con absoluta propiedad el cliché de que tu vida es oscura como la boca de un lobo.

MARIO—Pero ella irá a la cárcel.

PABLO—Un par de horas y después la pondrán en libertad incondicional. Alegará que procedió en defensa propia. Dirá que atacaste la virginidad de su hija con arma blanca: una metáfora cantarina como un puñal, incisiva como un canino, desgarradora como un hímen. La poesía con su saliva bulliciosa dejará su huella en los pezones de la novia. Por mucho menos que eso a Françoise Villon lo colgaron de un árbol y le prendieron una rosa en el cuello. ¿Qué haces?

MARIO—Tiemblo. No me importa que esa mujer me rasgue con una navaja cada uno de mis huesos. Lo que me duele es no poder verla a ella, sus labios de cereza, sus ojos lentos y enlutados como si los hubiera hecho la misma noche, y oler esa tibieza que emana.

PABLO—A juzgar por su madre, más que tibia flamígera.

MARIO—¿Por qué su madre me ahuyenta? Yo quiero casarme con ella.

PABLO—Por lo que dice doña Rosa se desprende muy claro que aparte de la mugre de tus uñas y los hongos de tus pies, ella piensa que no posees otros capitales.

MARIO—Pero estoy joven y soy sano. Tengo dos pulmones con más fuelle que acordeón.

PABLO—Pero sólo los usas para suspirar por Beatriz González. Ya te sale un sonido asmático como de sirena de un barco fantasma.

MARIO—Con estos pulmones podría soplar las velas de una fragata hasta Australia.

PABLO—Hijo, si sigues padeciendo por la señorita González de aquí a un mes no tendrás fuelle ni para apagar las velitas de tu torta de cumpleaños. Y a propósito, una cosa es que yo te haya regalado un par de mis libros, y otra cosa es que yo te haya autorizado a plagiarlos. Le regalaste a Beatriz el poema que yo escribí para Matilde.

MARIO—La poesía no es de quien la escribe sino de quien la usa.

PABLO—Me alegra mucho la frase tan democrática, hijo, pero no llevemos la democracia al extremo de someter a votación dentro de la familia quién es el padre.

(MARIO va hasta el teléfono, lo agarra, y lo sostiene delante de NERUDA. Éste, resignado, levanta el fono. Marca.)

PABLO—¿Señora Rosa viuda de González?

MAMÁ—*(Off.)* Dígame.

PABLO—Le habla otra vez Pablo Neruda.

MAMÁ—Y aunque fuera Jesucristo con sus doce apóstoles. ¡El cartero Mario Jiménez no entrará jamás a esta casa!

(La MADRE corta la comunicación.)

MARIO—Don Pablo, ¿Qué le pasa?

PABLO—Nada, hombre. Sólo que ahora sé como se siente un boxeador cuando lo noquean en el primer round.

(Cuelga el fono.)

Escena 9

(BEATRIZ prepara la comida frente a una olla. Sigilosamente, MARIO entra al escenario.)

MARIO—*(Despacio)* ¡Beatriz!

(BEATRIZ se da vuelta y lo mira. MARIO se le acerca. La muchacha se pone un huevo en la boca. MARIO sonríe y levanta la mano para quitárselo. BEATRIZ, juguetona y provocadora, se aparta y lo deja con la mano extendida. Luego toma el huevo entre sus dedos, y comienza a hacerlo pasar lentamente por su cuerpo, primero sobre los senos y luego lo desciende por su estómago hacia su vientre. MARIO mira fascinado. A la altura del vientre, BEATRIZ deja caer peligrosamente el huevo, pero lo recibe con la otra mano. Después levanta el huevo, lo pone sobre su frente, lo baja por la nariz, lo trae hasta el cuello. Sujeta el huevo en su cuello con la barbilla, y le indica con un gesto a MARIO que ponga sus manos como canasta.

MARIO se arrodilla y obedece cruzando sus manos. BEATRIZ avanza hasta él, y deja caer el huevo en las manos de MARIO. Éste lo toma entre sus dedos. BEATRIZ se agacha y MARIO comienza a recorrer con el huevo el cuerpo de ella. Primero alrededor de su trasero, y luego desde el vientre sube hasta los senos, y vuelve a poner el huevo en el cuello de la muchacha, quien lo vuelve a sujetar con su barbilla. MARIO la abraza, y con su boca toma el huevo. Luego la muchacha toma con su boca el huevo desde la boca de MARIO: con éste en la boca, MARIO rodea por detrás a BEATRIZ. Pasa hasta el otro costado. BEATRIZ se abre la parte superior de la blusa, y MARIO deja caer el huevo por ese hueco. La muchacha se abre el cinturón de la falda y deja caer el huevo que se estrella en el suelo.

MARIO levanta la blusa de la muchacha, su busto queda descubierto. BEATRIZ se agacha y saca los pantalones de MARIO. MARIO se quita su

camisa y queda desnudo. Luego se agacha y saca la falda de BEATRIZ, *quien queda desnuda. Ambos dan sus espaldas al público y avanzan hacia el fondo del escenario. Entran por el lado de* MARIO, *Neruda con un traje para* MARIO *y la* MADRE *con un traje de novia muy sencillo para* BEATRIZ. NERUDA *y la* MADRE *visten a los muchachos. Comienza a sonar "Vals para Jazmín" de Tito Fernández.*
*BEATRIZ *y* MARIO *de novios se dan vuelta ahora hacia el público. Avanzan nupcialmente, se saludan, y comienzan a bailar el vals.* NERUDA *saca a la* MADRE *a bailar. Los cuatro danzan un momento. Luego* NERUDA *interrumpe el baile. Hace un brindis. Los cuatro beben.* NERUDA *va hacia el fondo del escenario, toma una valija, y se despide en silencio de todos.* NERUDA *abandona el escenario. Todos están tristes, menos* BEATRIZ *que sigue bailando, provoca con su velo de novia a* MARIO, *éste la envuelve en el velo, la toma en brazos y se la lleva. La* MADRE *queda sola en el escenario.)*

Escena 10

(Cuando se enciende la escena, la MADRE *está sobre el lecho de* BEATRIZ *y lee la carta de* PABLO. *A sus pies hay un paquete.* MARIO *y* BEATRIZ *oyen concentrados.)*

MAMÁ—*(Leyendo la carta de* PABLO.*)* "Querido Mario Jiménez, de pies alados, recordada Beatriz González de Jiménez, chispa e incendio de Isla Negra, señora excelentísima Rosa viuda de González, querido futuro heredero Pablo Neftalí Jiménez González, delfín de Isla Negra, eximio nadador en la tibia placenta de tu madre y cuando salgas al sol rey de las rocas, los volantines, y campeón en ahuyentar gaviotas, queridos todos, queridísimos cuatro. No les he escrito antes como les prometí porque no quería mandarles una tarjeta postal con las bailarinas de Degas. Sé que ésta es la primera carta que recibes en tu vida, Mario, y por lo menos tenía que venir dentro de un sobre, si no no vale. Me da risa pensar que esta carta te la tienes que repartir a ti mismo. ¿Cómo hiciste? Bueno, ya me contarás todo lo de la Isla y me dirás a qué te dedicas ahora que la correspondencia me llega toda a París. Es de esperar que no te hayan echado de Correos y Telégrafos, ahora que se fue el poeta. ¿O es que el presidente Allende te dio algún ministerio?

"Bueno, esto de ser embajador en Francia es algo nuevo e incómodo para mí. Pero entraña un desafío. En Chile hemos hecho una revolución. Una revolución a la chilena, muy analizada y muy discutida. Y los enemigos de adentro y de afuera se afilan los dientes para destruirla.

"Ahora podemos respirar y cantar. Eso es lo que me gusta de mi nueva situación. El nombre de Chile se ha engrandecido en forma extraordinaria".

"Los abraza su celestino y vecino, Pablo Neruda".

(Pausa.)

Mario—¿Eso es todo?

Mamá—Sí, pues, ¿Qué más quería?

Mario—¿Y no tiene esa cosa con "PD" que se pone al final de las cartas?

Mamá—No tiene nada más.

Mario—Me parece raro que sea tan corta. Así de verla se veía tan larga.

Beatriz—Lo que pasó es que la mami la leyó muy rápido.

Mamá—Rápido o lento, las palabras dicen lo mismo. La velocidad es independiente de lo que significan las cosas.

(Pausa.)

Beatriz—¿Qué te has quedado pensando?

Mario—En que falta algo. Cuando a mí me enseñaron a escribir en el colegio cartas, me dijeron que siempre había que poner al final "PD" y después decir alguna otra cosa que no se había dicho en la carta. Estoy seguro que don Pablo se olvidó de algo.

Beatriz—O a lo mejor no faltaba nada. A lo mejor todo lo que quería decir estaba en la carta.

Mario—Y si faltaba algo a lo mejor lo escribió después en un poema.

Beatriz—O a lo mejor ya había escrito el poema antes de escribir la carta.

Mario—*(Pensativo.)* Claro. *(Pausa.)* ¿Abrimos el paquete?

Mamá—Hace una hora que estoy esperando. Le dije que abriéramos antes el paquete que la carta.

BEATRIZ—¡Por Dios que es copuchenta, mamá! Había que abrir primero la carta porque a lo mejor en la carta se explicaba lo que era el paquete.

MAMÁ—Pero no explicaba nada. ¡Los poetas son más volados que los pájaros! *(A MARIO.)* ¡Abra el paquete de una vez! ¿Qué se quedó pensando?

MARIO—¡Los poetas más volados que los pájaros! Muy buena suegra, muy buena metáfora.

MAMÁ—Abre el paquete que ya me hago pichí de curiosidad.

MARIO—*(Abriendo el paquete. Ruido de papel.)* Eso de los pájaros se lo voy a contar al poeta. A lo mejor, lo pone en verso. *(Pausa.)* ¿Qué es esto?

MAMÁ—Una grabadora, pues. Qué va a ser. ¿Qué dice la tarjeta? Pásela para leerla.

MARIO—¡Ah, no! Usted lee demasiado rápido. *(Leyendo.)* "Que-ri-do Ma-rio dos puntos a-prie-ta el bo-ton ro-jo".

MAMÁ—Usted se demoró más en leer la tarjeta que yo en leer la carta.

MARIO—Es que usted no lee las palabras sino que se las traga, señora. Hay que saborearlas.

BEATRIZ—Por favor, no peleen ahora. Aprieta el botón rojo.

(MARIO aprieta un botón de la grabadora. Durante un momento, sólo el ruido de la cinta de la casette que gira. Luego un carraspeo de PABLO. En seguida la voz grabada de PABLO en la casette.)

PABLO—Posdata.

MARIO—*(Excitado.)* ¿Cómo se para?

MAMÁ—Cállese.

PABLO—Quería mandarte algo más aparte de las palabras.

MARIO—¿Cómo se para?

PABLO—Así que metí mi voz en esta jaula que canta. Una jaula que es como un pájaro.

MARIO—Aquí. Stop.

(Se interrumpe la grabación.)

MAMÁ—¿Por qué lo apagó?

MARIO—*(Muy excitado.)* ¡Tenía razón, señora! "PD". Posdata, faltaba la *(Silabea.)* pos-da-ta. Yo le dije que no podía haber una carta sin posdata. El poeta no se había olvidado de nada. ¡Yo sabía que la primera carta de mi vida tenía que venir con posdata! Ahora está todo claro, suegra. La carta, y la posdata.

MAMÁ—Bueno, la carta y la posdata. ¿Y por eso llora?

MARIO—¿Yo?

BEATRIZ—Sí.

MAMÁ—Apriete el botón o voy a acostarme.

MARIO—Desde el comienzo.

MAMÁ—Pase. *(Aprieta rewind en la máquina, ruido de cinta que retrocede. Botón stop. Botón rojo. Ruido de cinta que avanza. Carraspeo del poeta.)*

PABLO—Posdata.

MAMÁ—*(Rápido.)* Cállese.

MARIO—Yo no he dicho nada.

PABLO—Quería mandarte algo más aparte de las palabras. Así que metí mi voz en esta jaula que canta. Una jaula que es como un pájaro. Te la regalo. Pero también quiero pedirte algo, que sólo tú, querido Mario, puedes hacerlo. Todos mis otros amigos o no sabrían qué hacer o me encontrarían ridículo. Quiero que vayas con esta grabadora paseando por Isla Negra y me grabes todos los sonidos y los ruidos que vayas encontrando. Necesito desesperadamente aunque sea el fantasma de mi casa. París es hermoso, pero es un traje que me queda demasiado grande. Mándame los sonidos de mi casa. Entra hasta el jardín, y deja sonar las campanas. Primero graba ese repicar delgado de las campanas pequeñas cuando las mueve el viento, y luego tira tú de la soga de la campana mayor, cinco, seis veces. Campana, mi campana. No hay nada que suene tanto como la palabra campana si la colgamos de un campanario junto al mar. Y ándate hasta las rocas, y grábame la reventazón de las olas. Y si oyes los pájaros grábalos, y si oyes el silencio de las estrellas siderales, grábalos. *(Pausa.)* Aquí en París es invierno, y el viento revuelve la nieve como un molino de la harina. Pensar que allá es verano, un verano que se ríe como la boca abierta de una sandía. Y pensar que aquí es invierno. La nieve sube y sube, me trepa por la piel, me hace un triste rey con su túnica blanca. Ya llega a mi boca, ya me tapa los labios, ya no me salen las palabras. *(Pausa.)* Y para que conozcas algo de la música de Francia te mando una grabación del año 38 que encontré entumida en una tienda de discos usados del barrio latino. ¡Cuántas veces la canté cuando jóven! Siempre había querido tenerla y nunca había podido. La canción se llama "J'attendrai", y la letra dice "Esperaré, día y noche, esperaré siempre, que regreses".

(Sonido versión original del tema "J'attandrai", cantado por Rina Ketty, en el disco "Les Belles Anées des Music Hall", sello "Voix de Son Maitre", PTX-40331, No. 31.)

APAGÓN

Escena 11

(Una cumbia suena fuerte en la radio. En medio del escenario, MARIO corta distintos tipos de verdura siguiendo el ritmo de la música. BEATRIZ lo acompaña pasándole las verduras. En el suelo la grabadora de NERUDA.)

MARIO—*(A la grabadora.)* Querido don Pablo, muchas gracias por la carta y el regalo. Ahora trato de inventar poemas diciéndolos directamente a la grabadora sin tener que escribirlos.

(La MADRE aparece agitada al fondo con una bandeja.)

MAMÁ—¡Mario!

MARIO—*(A la grabadora.)* ¡Hasta ahora no me sale ninguno interesante!

(MARIO sale de escena, llevando una fuente con ensalada.)

BEATRIZ—Mario se demoró mucho en cumplir su pedido. Lo que pasa es que en verano hay mucho que hacer en Isla Negra. El sindicato de una fábrica de Santiago consiguió darle vacaciones a los obreros, y firmaron un contrato con mi mamá para que les diéramos pensión en la hostería. Ahora el restaurán está lleno de veraneantes.

(MARIO entra de prisa y llena una jarra de vino.)

MARIO—*(A la grabadora.)* Ahora trabajo en la cocina de la hostería. En la mañana reparto cartas, y en la tarde pelo pescado y pico cebolla. Pero se gana buena plata.

(La MADRE aparece enojada en la puerta.)

MAMÁ—¡Mario!

(MARIO sigue a la MADRE fuera de escena.)

BEATRIZ—*(A la grabadora.)* Como usted puede ver nos está yendo a todos bien. Bueno, don Pablo, no queremos robarle más su precioso tiempo. Sólo queremos decirle qué extraña que es la vida. Usted se queja de la nieve que lo tapa hasta las orejas, y nosotros no hemos visto un copo de nieve en toda nuestra vida. En las películas no más.

(MARIO entra y se acuesta al lado de la grabadora.)

MARIO—Cómo me gustaría estar un día en París nadando en nieve. Yo sólo he visto la nieve en las películas yankis cuando es pascua. En todo caso, y como agradecimiento por su regalo, le escribí un poema para usted tratando de imitarlo.

BEATRIZ—"Oda a la nieve sobre Neruda en París".

(MARIO se sube a una silla y comienza a recitar.)

MARIO—*(A la grabadora. Carraspeo. Solemne.)* "Oda a la nieve sobre Neruda en Paris":

> Blanda compañera de pesos sigilosos,
> abundante leche de los cielos
> delantal inmaculado de mi escuela
> sábana de viajeros silenciosos
> que van de pensión en pensión con un retrato arrugado.
> Ligera y plural doncella
> ala de miles de palomas,
> pañuelo que se despide de no sé qué cosa.
> Por favor, mi bella,
> cae amable sobre Pablo Neruda en París
> vístelo de gala con tu albo traje de almirante
> y transfórmate en un vaporoso velero
> que lo traiga hasta este puerto...

BEATRIZ—...donde lo echamos tanto de menos.

MARIO—Bueno, hasta aquí el poema. Y ahora los sonidos que me pidió. Uno, el viento en el campanario de Isla Negra. *(MARIO echa a andar la casette con los sonidos en la grabadora.)*

BEATRIZ—Dos. Las campanas en el campanario de Isla Negra.

(En el fondo del escenario se ilumina la pieza de Neruda en París. NERUDA escucha los sonidos.)

MARIO—Tres. Las alas en el roquerío bajo la terraza.

BEATRIZ—Cuatro. Canto de las gaviotas.

Mario—Cinco. La colmena de abejas.

Beatriz—Seis. Retirada del mar.

Mario—Siete. Don Pablo Neftalí Jiménez González.

(Veinte segundos del llanto del hijo de Beatriz *y* Mario. *Las luces de Isla Negra se apagan lentamente. Mientras el niño llora,* Neruda *comienza a vestirse de frac. Cuando el chico deja de llorar,* Neruda *abandona su habitación y desciende hacia la parte delantera del escenario.* Mario *y* Beatriz *apoyan sus cabezas en una enorme radio y escuchan el discurso siguiente de Neruda en Estocolmo.)*

Pablo—*(Vestido de frac. Al público.)* Hace hoy cien años exactos, un pobre y espléndido poeta, el más atroz de los desesperados, escribió esta profecía: A l'aurore, armées d'une ardente patience, nous entrerons aux splendides Villes. *(Al amanecer, armadas de una ardiente paciencia, entraremos a las espléndidas ciudades.)*

Yo creo en esa profecía de Rimbaud, el vidente. Yo vengo de una obscura provincia, de un país separado de todos los otros por la tajante geografía. Fui el más abandonado de los poetas y mi poesía fue regional, dolorosa y lluviosa. Pero tuve siempre la confianza en el hombre. No perdí jamás la esperanza. Por eso he llegado hasta aquí con mi poesía, y también con mi bandera.

En conclusión, debo decir a los hombres de buena voluntad, a los trabajadores, a los poetas, que el entero porvenir fue expresado en esta frase de Rimbaud: sólo con una ardiente paciencia conquistaremos la espléndida ciudad que dará luz, justicia y dignidad a todos los hombres.

Así la poesía no habrá cantado en vano.[6]

(Al terminar su discurso, Neruda *mira hacia la radio que escuchan* Mario *y* Beatriz. *Fuerte aplauso del público en Suecia a través de la radio.* Beatriz *y* Mario *se abrazan largamente emocionados.)*

Mamá—*(Entrando, a* Mario.*)* ¿Está lista la sopa?

Mario—¿Suegra?

Mamá—*(Gritando.)* ¿Está lista la sopa? Por favor, baje la radio. *(*Mario *baja el volumen.)* En vez de trabajar se pasa oyendo leseras.

Mario—Para cocinar no necesito las orejas.

Mamá—Los pensionistas ya están en el comedor y usted no tiene lista la sopa.

Mario—¡Ya va a estar!

Mamá—¡Los pensionistas tienen hambre!

MARIO—Doña Rosa... Con todo respeto le digo que si no la estimara tanto la mandaría a la mierda.

MAMÁ—¡Qué bonito! Esa *poesía* sí que a usted le sale facilito. ¿Por qué no se la escribe al poeta?

MARIO—Porque ahora no tengo tiempo. *(Destapa una botella de vino.)*

MAMÁ—En vez de cocinar la sopa se va a tomar el vino.

MARIO—No, doña Rosa, el vino es para los pensionistas mientras esperan la sopa.

MAMÁ—¡Está loco! El vino no está incluido en la pensión. Hay que pagarlo extra.

MARIO—No, senora. Hoy la casa invita a los pensionistas. El vino se paga de mi plata.

MAMÁ—Conforme, pero no crea que me voy a olvidar de descontársela.

MARIO—No hace falta, suegra. Aquí tiene el dinero al contado. Ahora lléveles el vino a los pensionistas y dígales que la sopa ya está a punto.

MAMÁ—¿Y cómo les explico lo del vino gratis?

MARIO—Dígales que hoy estamos celebrando.

MAMÁ—¿Celebrando qué?

MARIO—El Premio Nobel de don Pablo. *(Eufórico.)* ¡Ganamos, doña Rosa, ganamos!

MAMÁ—¿Ganamos? "Estamos arando, dijo la mosca sobre el lomo del buey".

(MARIO le da volumen a la radio. Comienza a sonar una cueca. MARIO y BEATRIZ sacan pañuelos y comienzan a bailar. Antes de que la cueca termine se interrumpe la música y un locutor da a conocer por la radio la siguiente noticia.)

LOCUTOR—Santiago. Un comando facista disparó al edecán naval del Presidente Allende, Arturo Araya Peters, causándole la muerte. El atentado ocurrió en el domicilio del edecán. El Presidente Allende se dirige en estos momentos al lugar del crimen acompañado por miembros de su gabinete. La Central Unica de Trabajadores llama a todos sus afiliados a lo largo de todo el país a permanecer concentrados en estado de alerta en sus respectivos lugares de trabajo hasta nuevas órdenes.

(BEATRIZ y MARIO se separan y caminan en dirección opuesta.)

Escena 12

(*En la oscuridad se escucha la casette de* MARIO *con los sonidos para Neruda, mientras se prepara la utilería para la escena siguiente. Sólo que en el momento en que se oye el llanto del niño comienza a mezclarse con el ruido de helicópteros y balazos que terminan dominando la escena.*)

Escena 13

(NERUDA *yace en la penumbra.*)

MARIO—(*Susurrando.*) Don Pablo.

PABLO—¡Mario! ¿Cómo entraste?

MARIO—Su señora me dejó entrar.

PABLO—¿Te dejó entrar hasta aquí? ¿Hasta mi propio dormitorio?

MARIO—Sí.

PABLO—Está bien, entonces. Gusto de verte, muchacho.

MARIO—Ayer quise entrar pero no pude. La casa estaba rodeada de soldados. Sólo dejaron entrar al médico.

PABLO—Yo ya no necesito médico, hijo. Sería major que me mandaran directamente al sepulturero.

MARIO—No hable así, don Pablo.

PABLO—Sepulturero es una buena profesión, Mario. Se aprende filosofía. Te acuerdas cuando Hamlet está enredado en sus especulaciones y el sepulturero le aconseja "Búscate moza robusta y déjate de tonterías".

MARIO—¿Cómo se siente, don Pablo?

PABLO—Moribundo. Aparte de eso nada grave.

MARIO—¿Sabe lo que está pasando?

PABLO—Matilde trata de ocultármelo todo, pero yo tengo una pequeñísima, minísima radio japonesa debajo de la almohada. ¡Hombre, con esta fiebre me siento como pescado en la sartén!

MARIO—Ya se le va a acabar, don Pablo.

PABLO—Si, mijo. Pero esta fiebre se va a acabar junto conmigo.

MARIO—Don Pablo, ¿Es verdad que es grave lo que tiene?

PABLO—Te contestaré como Mercucio en Romeo y Julieta cuando yace ensartado por la espada de Tybaldo. (*Alzando la voz.*) "La herida no es tan honda como un pozo, ni tan ancha como la puerta de una iglesia, pero es bastante. Pregunta por mí mañana y verás que tieso estoy".

MARIO—Por favor, acuéstese poeta.

PABLO—Ayúdame a llegar hasta la ventana.

MARIO—No puedo.

PABLO—Soy tu celestino, tu cabrón y el padrino de tu hijo. Te exijo, en nombre de estos títulos ganados con el sudor de mi pluma, que me lleves hasta la ventana.

MARIO—Hay una brisa fría. Usted tiene fiebre y doña Matilde me dijo...

PABLO—Escucha qué bella rima: ¡La brisa es relativa! Si vieras el viento gélido que me sopla en los huesos. Es prístino y agudo el puñal definitivo, muchacho. Llévame hasta la ventana.

MARIO—Es que, don Pablo...

PABLO—¿Qué me quieres ocultar? Acaso cuando abra la ventana no estará abajo el mar? ¿También se lo llevaron? ¿También me lo metieron en una jaula?

MARIO—El mar está allí, don Pablo.

PABLO—Entonces ¿qué te pasa? Llévame hasta la ventana.

MARIO—Está el mar allí, pero también otras cosas.

PABLO—Vamos que quiero verlas.

(MARIO transporta a PABLO hasta la ventana. La abren.)

PABLO—Ajá, una ambulancia. Eso era el misterio: una ambulancia. ¿Por qué no un ataúd directamente?

MARIO—Se lo quieren llevar a un hospital en Santiago. Doña Matilde está preparando sus cosas.

PABLO—En Santiago no hay mar. Hay sólo sastres y cirujanos.

MARIO—Usted está ardiendo, don Pablo.

PABLO—Dime una buena metáfora para morirme tranquilo.

MARIO—Poeta, no se me ocurre ninguna metáfora, pero ahora óigame bien. La señora Matilde me dejó entrar hasta aquí porque tengo muchas cosas que decirle.

PABLO—Ojalá alcance a oírlas todas, muchacho. Dímelas rápido.

MARIO—Desde ayer han llegado más de veinte telegramas para usted. Quise traérselos, pero la casa estaba rodeada de militares. Tuve que devolverme. Usted me perdonará, don Pablo, lo que hice pero no había otro remedio.

PABLO—¿Qué hiciste?

Mario—Abrí los telegramas, y me los aprendí de memoria para poder decírselos.

Pablo—¿De dónde vienen?

Mario—De muchas partes. ¿Comienzo con el de Suecia?

Pablo—Adelante.

Mario—"Dolor e indignación asesinato presidente Allende. Gobierno y pueblo ofrecen asilo poeta Pablo Neruda Suecia".

Pablo—Otro.

Mario—"México pone disposición poeta Pablo Neruda y familia avión pronto traslado a ésta".

Pablo—Mario, toda mi vida tuve cara de buho, pero nunca tan buena vista. ¿Qué es eso que se ve allí en la roca?

Mario—¿Don Pablo?

Pablo—En la roca, esa gente en las rocas. ¿Qué hacen esas gentes en las rocas, Mario?

Mario—Buscan algo. Parece que buscan algo.

Pablo—¿Qué anda buscando éste, y aquél también? ¿Qué andan buscando junto al agua? ¿Qué buscan todos a la orilla? (*La voz comienza a sonar con más aire, más asfixiada, el tono es más afiebrado. El ritmo se va haciendo jadeante.*)

> Yo vuelvo al mar envuelto por el cielo:
> el silencio entre una y otra ola
> establece un suspenso peligroso.
> Muere la vida, se aquieta la sangre,
> hasta que rompe el nuevo movimiento
> y resuena la voz del infinito.[7]

(*La luz se apaga. Suena la sirena de una ambulancia. Se aleja lentamente hasta que ya no se oye. Silencio.*)

Escena 14

(*Luz sobre la puerta de casa* Mario. *Allí están* Mario *y dos* policías *vestidos de civil. El diálogo comienza tras un par de segundos.*)

Policía 1—¿Usted es Mario Jiménez?

Mario—Sí, señor.

Policía 2—¿Mario Jiménez de profesión cartero?

Mario—Cartero, señor.

Policía 1—¿Nacido el 7 de febrero de 1954?

Mario—Sí, señor.

Policía 2— Hijo de José Jiménez, de profesión pescador?

Mario—Pescador, señor.

Policía 1—Bien. Tiene que acompañarnos.

Mario—¿Por qué, señor?

Policía 2—Es para hacerle unas preguntas.

Policía 1—Una diligencia de rutina.

Policía 2—No tiene nada que temer.

Policía 1—Después puede volver a casa.

Policía 2—No tiene nada que temer.

Policía 1—Se trata de una diligencia de rutina.

Policía 2—Tiene que contestar unas preguntas.

Policía 1—Después puede volver a casa.

Policía 2—Una diligencia. De rutina.

(Los tres abandonan la escena. Se oye fuera la puerta de un auto que se cierra. Junto con este ruido comienza simultáneamente el motor de auto y la canción de Los Beatles "Mr. Postman".)

Apagón final

[1] Pablo Neruda. *Confieso que he vivido* (Barcelona: Ed. Argos Vergara, 1980) 377.

[2] Pablo Neruda. "Cien sonetos de amor", *Obras completas* II (Buenos Aires: Losada, 1957) 840.

[3] *Confieso*, 378.

[4] *Confieso*, 379-380.

[5] "Cien sonetos de amor", 830.

[6] *Confieso*, 383.

[7] Pablo Neruda. *Jardín de invierno* (Buenos Aires: Losada, 1975) 100.

Bibliografía Selecta

A. Estudios generales

Albuquerque, Severino. *Violent Acts*. Detroit: Wayne State UP, 1991.

Arrom, José Juan. *Esquema generacional de las letras hispanoamericanas: Un esbozo*. Bogotá: Caro y Cuervo, 1973.

Boyle, Catherine. *Chilean Theater, 1973-85: Marginality, Power, Selfhood*. Rutherford: Fairleigh Dickinson UP; London: Cranbury, NJ: Associated UP, 1992.

Burgess, Ronald D. *The New Dramatists of Mexico 1967-1985*. Lexington: The UP of Kentucky, 1991.

Chesney, Luis. *50 años de teatro venezolano*. Caracas: Universidad Central de Venezuela, 2000.

Dauster, Frank D. *Historia del teatro hispanoamericano, siglos XIX y XX*. 2ª ed. México: Edics de Andrea, 1973.

_____. *Perfil generacional del teatro hispanoamericano*. Ottawa: Girol Books, 1993.

_____, ed. *Perspectives on Contemporary Spanish American Theatre*. Lewisburg: Bucknell UP, 1996.

Dubatti, Jorge. *El nuevo teatro de Buenos Aires en la postdictadura (1983-2001). Micropoéticas I*. Buenos Aires: Centro Cultural de la Cooperación, 2002.

Eidelberg, Nora. *Teatro experimental hispanoamericano 1960-80. La realidad social como manipulación*. Minneapolis: Institute for the Study of Ideologies and Literatures, 1985.

Foster, David William. *Estudios sobre teatro mexicano contemporáneo: Semiología de la competencia teatral*. New York, Berne, Frankfurt, Nancy: Peter Lang, 1984 (Utah Studies in Literature and Linguistics, Vol. 25).

Giella, Miguel Angel. *De dramaturgos: Teatro latinoamericano actual*. Buenos Aires: Corregidor, 1994.

_____. *Teatro Abierto 1981: Teatro bajo vigilancia*. Buenos Aires: Corregidor, 1982.

Graham-Jones, Jean. *Exorcising History: Argentine Theater under Dictatorship*. Lewisburg: Bucknell UP, 2000.

Latin American Theatre Review 34/1 (Fall 2000). Número especial dedicado al teatro de los noventa.

Luzuriaga, Gerardo. *Introducción a las teorías latinoamericanas de teatro. 1930 al presente*. Puebla: Universidad Autónoma de Puebla, 1990.

_____. *Popular Theatre for Social Change in Latin America*. Los Angeles: UCLA Latin American Center Publications, 1978.

Lyday, Leon y George Woodyard, eds. *Dramatists in Revolt: The New Latin American Theatre*. Austin: U of Texas P, 1976.

Meléndez, Priscilla. *La dramaturgia hispanoamericana contemporánea: Teatralidad y autoconsciencia*. Madrid: Pliegos, 1990.

Pellettieri, Osvaldo, dir. *Historia del teatro argentino en Buenos Aires. Vol. II. La emancipación cultural (1884-1930)*. Buenos Aires: Galerna, 2002.

_____, dir. *Historia del teatro argentino en Buenos Aires. Vol. V. El teatro actual (1976-1998)*. Buenos Aires: Galerna, 2001.

_____. *Una historia interrumpida: Teatro argentino moderno (1949-1976)*. Buenos Aires: Galerna, 1997.

Piña, Juan Andrés. *20 años de teatro chileno, 1976-1996*. Santiago: RiL, 1998.

Perales, Rosalina. *Teatro hispanoamericano contemporáneo, 1967-1987*. 2 vols. México: Grupo Editorial Gaceta, 1989-1993.

Rizk, Beatriz J. *Posmodernismo y teatro en América Latina: Teorías y prácticas en el umbral del siglo XXI*. Frankfurt y Madrid: Vervuert e Iberoamericana, 2001.

_____. *Teatro y diáspora: Testimonios escénicos latinoamericanos*. Irvine: Ediciones de Gestos, 2002.

Rojo, Grínor. *Muerte y resurección del teatro chileno 1973-1983*. Madrid: Ediciones Michay, 1985.

Roster, Peter J. y Mario Rojas, eds. *De la colonia a la postmodernidad: teoría teatral y crítica sobre teatro latinoamericano*. Buenos Aires: Galerna/IITCTL, 1992.

Schmidhuber, Guillermo. *El teatro mexicano en cierne, 1922-1938*. New York et al: Peter Lang, 1992.

Seibel, Beatriz. *Historia del teatro argentino. Desde los rituales hasta 1930*. Buenos Aires: Corregidor, 2002.

Taylor, Diana. *Disappearing Acts: Spectacles of Gender and Nationalism in Argentina's "Dirty War."* Durham and London: Duke UP, 1997.

_____. *Theatre of Crisis: Drama and Politics in Latin America*. Lexington: U of Kentucky P, 1991.

_____ y Juan Villegas, eds. *Negotiating Performance: Gender, Sexuality and Theatricality in Latin America*. Durham: Duke UP, 1994.

Versényi, Adam. *Theatre in Latin America: Religion, Politics and Culture from Cortés to the 1980s*. Cambridge University Press, 1993.

Villegas, Juan. *Ideología y discurso crítico sobre el teatro de España y América Latina*. Minneapolis: Prisma Institute, 1988.

_____. *Para la interpretación del teatro como construcción visual*. Irvine: Ediciones de Gestos, 2000.

_____. *Para un modelo de historia del teatro*. Irvine: Ediciones de Gestos, 1997.

_____, ed, con Alicia del Campo y Mario Rojas. *Discursos teatrales en los albores del siglo XXI*. Irvine: Ediciones de Gestos, 2001.

B. Los Dramaturgos

1. Roberto Cossa

Piezas

1964	*Nuestro fin de semana*
1966	*Los días de Julián Bisbal*
1966	*La ñata contra el libro*
1967	*La pata de la sota*
1971	*Tute cabrero*
1970	*El avión negro (en colaboración)*
1977	*La nona*
1979	*No hay que llorar*
1979	*El viejo criado*
1981	*Gris de ausencia*
1981	*Ya nadie recuerda a Frederic Chopin*
1984	*De pies y manos*
1985	*Los compadritos*
1987	*Yepeto*
1987	*El sur y después*
1991	*Angelito*
1993	*Lejos de aquí*
1994	*Viejos conocidos*
1995	*Viejos gauchos judíos*
1997	*Los años difíciles*
1997	*El saludador*
2000	*Pingüinos*
2002	*Historia de varieté*

Estudios

Basabe, Omar. "*El avión negro*: El discurso político implícito en la parodia a una irrealidad grotesca". *Confluencia* 11.1 (1995): 163-72.

Ciria, Alberto. "Variaciones sobre la historia argentina en el teatro de Roberto Cossa". *Revista Canadiense de Estudios Hispánicos* 18. 3 (1994): 445-53.

Cossa, Roberto. "Teatro Abierto: Un fenómeno antifascista". *Cuadernos Hispanoamericanos* 517-19 (1993): 529-32.

Cristafio, Raúl. "*Gris de ausencia* de Roberto Cossa y la resistencia teatral en Argentina". *Cultura Latinoamericana*, Annali. 1-2 (1999-2000): 87-100.

Giella, Miguel Angel. "Aportaciones a la lectura de *La nona* de Roberto Cossa". *Primer Acto* 237 (1991): 119-27.

_____. "Entre la justicia poética y las leyes penales: Años difíciles de Roberto Cossa". Indagaciones sobre el fin de siglo. Osvaldo Pellettieri, ed. Buenos Aires: Galerna, Facultad de Filosofía y Letras (UBA), Fundación Roberto Arlt, 2000: 185-188.

_____. "Inmigración y exilio: el limbo del lenguaje". *Latin American Theatre Review* 26.2 (Spring 1993): 11-21.

_____. "La metamorfosis individual de las utopías: El saludador de Roberto Cossa". *Itinerarios del teatro latinoamericano*. Osvaldo Pellettieri, ed. Buenos Aires: Galerna, Facultad de Filosofía y Letras(UBA), Fundación Roberto Arlt, 2000: 121-125.

Giustachini, Ana Ruth. "Los compadritos de Roberto Cossa. Alemanes en la Argentina". *El teatro y su mundo. Estudios sobre teatro iberoamericano y argentino*. Osvaldo Pellettieri, ed. Buenos Aires: Galerna/Facultad de Filosofía y Letras (UBA), 1997: 305-311.

Jarque, Francisco. "El tango como intertexto en la creatividad de *El viejo criado*". *Revista Canadiense de Estudios Hispánicos* 15.3 (1991): 465-481.

Pellettieri, Osvaldo. "Presencia del sainete en el teatro argentino de las últimas décadas". *Latin American Theatre Review* 20.1 (Fall 1986): 71-77.

_____. "Roberto Cossa y el teatro dominante (1985-1999)". Teatro argentino del 2000. Osvaldo Pellettieri, ed. Buenos Aires: Galerna, Fundación Roberto Arlt, 2000: 27-35.

Poujol, Susana. "*Yepeto*: una poética de la escritura", *Espacio de Crítica e Investigación* 1.4 (1988).

Prevedí, Roberto. "América deshecha: el neogrotesco gastronómico y el discurso del fascismo en *La nona* de Roberto M. Cossa". *Teatro argentino durante El Proceso*. Buenos Aires: Vinciguerra, 1992.

Woodyard, George. "The Theatre of Roberto Cossa: A World of Broken Dreams." *Bucknell Review* 40.2 (1996): 94-108.

_____. "*Yepeto* de Cossa: Arte y realidad", en *El teatro y sus claves: Estudios sobre teatro iberoamericano y argentino*, ed. Osvaldo Pellettieri. Buenos Aires: Galerna (1996): 87-92.

2. Sabina Berman

Piezas

1975   *Un actor se repara* (más tarde, *Esta no es una obra de teatro*)

1978   *El suplicio del placer* (más tarde, *El jardín de las delicias*)

1979	*Bill* (más tarde, *Yankee*)
1981	*Un buen trabajador de piolet* (más tarde, *Rompecabezas*)
1983	*La maravillosa historia del Chiquito Pingüica. De cómo supo de su gran destino y de cómo comprobó su grandeza.*
1984	*Herejía* (más tarde, *Anatema* y *En el nombre de Dios*)
1985	*Águila o sol*
1988	*Muerte súbita*
1988	*Caracol y colibrí*
1992	*El pecado de tu madre*
1992	*Entre Villa y una mujer desnuda*
1994	*El gordo, la pájara y el narco*
1996	*Krisis*
1996	*La grieta*
1998	*Molière*
2000	*¡Feliz nuevo siglo, Doktor Freud!*
2000	*65 contratos para hacer el amor*
2002	*Extras*

Estudios

Bixler, Jacqueline E. "Entre Berman y una historia desnuda". *Tramoya* 71 (2002): 107-115.

_____. "Krisis, Crisis, and the Politics of Representation." *Gestos* 26 (noviembre 1998): 83-97.

_____. "The Postmodernization of History in the Theatre of Sabina Berman." *Latin American Theatre Review* 30.2 (Spring 1997): 45-60.

_____. Power Plays and the Mexican Crisis: The Recent Theatre of Sabina Berman." *Performance, pathos, política de los sexos.* Ed. Heidrun Adler y Kati Röttger. Frankfurt-Madrid: Vervuert-Iberoamericana, 1999: 83-99.

_____. Pretexts and Anti-PRI Texts: Mexican Theatre of the 90s." *Todo ese fuego. Homenaje a Merlin Forster.* Ed. Mara L. García y Douglas Weatherford. México: Editorial Ducere, 1999: 35-47.

_____. "El sexo de la política y la política del sexo en dos obras 'freudianas' de Sabina Berman y Jesusa Rodríguez". *Teatro XXI* 8.14 (2002): 8-11.

Burgess, Ronald D. "Bad Girls and Good Boys in Mexican Theatre in the 1990s," *Perspectives on Contemporary Spanish American Theatre,* Frank Dauster, ed. Lewisburg: Bucknell UP, 1996: 67-76.

_____. *The New Dramatists of Mexico 1967-1985.* Lexington: UP of Kentucky, 1991.

_____. "Nuestra realidad múltiple en el drama múltiple de Sabina Berman". *Texto Crítico* 2.2 (1996): 21-28.

_____. "Sabina Berman's Act of Creative Failure: *Bill*." *Gestos* 2.3 (April 1987): 103-113.

_____. "Sabina Berman's Undone Threads," *Latin American Women Dramatists: Theater, Texts and Theories*, Catherine Larson and Margarita Vargas, eds. Bloomington: Indiana UP, 1998: 145-158.

Ceron, Rocío. "Sabina Berman". *Elle* 2.3 (marzo 1995): 46.

Costantino, Roselkyn. "El discurso del poder en *El suplicio del placer* de Sabina Berman". *De la colonia a la postmodernidad: teoría teatral y crítica sobre teatro latinoamericano*. Ed. Peter Roster y Mario Rojas. Buenos Aires: Galerna, 1992: 245-252.

Cypess, Sandra. "Ethnic Identity in the Plays of Sabina Berman." En *Tradition and Innovation: Reflections on Latin American Jewish Writing*, Roberto DiAntonio y Nora Glickman, eds. State University of New York Press, 1993: 165-177.

Day, Stuart A. "Berman's Pancho Villa versus Neoliberal Desire." *Latin American Theatre Review* 33.1 (Fall 1999): 5-23.

Gladhart, Amalia. *The Leper in Blue. Coercive Performance and the Contemporary Latin American Theater*. Chapel Hill: U of North Carolina P, 2000.

Hind, Emily. "Entrevista con Sabina Berman". *Latin American Theatre Review* 33.2 (Spring 2000): 133-139.

Magnarelli, Sharon. "Masculine Acts/Anxious Encounters: Sabina Berman's *Entre Villa y una mujer desnuda*." *Intertexts* 1.1 (1997): 40-50.

_____. "Tea for Two: Performing History and Desire in Sabina Berman's *Entre Villa y una mujer desnuda*." *Latin American Theatre Review* 30.1(Fall 1996): 55-74.

Martínez de Olcoz, Nieves. "*Águila o sol* de Sabina Berman: Archivo, memoria y re-escritura". *Teatro (Revista de Estudios Teatrales)* 11 (June 1997): 219-234.

_____. "Decisiones de la máscara neutra: dramaturgia femenina y fin de siglo en América Latina". *Latin American Theatre Review* 31.2 (1998): 5-16.

Medina, Manuel F. "La batalla de los sexos: Estrategias de desplazamiento en *Entre Pancho Villa y una mujer desnuda* de Sabina Berman". *Revista Fuentes Humanísticas* 4.8 (1º semestre 1994): 107-111

Meléndez, Priscilla. "Co(s)mic Conquest in Sabina Berman's *Águila o sol*." *Perspectives on Contemporary Spanish American Theatre*. Ed. Frank Dauster. Lewisburg: Bucknell UP: 19-36.

Moreno, Iani del Rosario. "La cultura 'pulp' en dos obras: *Krisis* de Sabina Berman y *Pulp Fiction* de Quentin Tarantino". *Gestos* 13.26 (noviembre 1998): 676-82.

Nigro, Kirsten. "Inventions and Transgressions: A Fractured Narrative on Feminist Theatre in Mexico." *Negotiating Performance: Gender, Sexuality and Theatricality in Latin/o America.* Diana Taylor y Juan Villegas, eds. Durham: Duke UP: 137-58.

Partida Tayzan, Armando. "Entrevista a Sabina Berman". *Se buscan dramaturgos. Entrevistas I.* México: CONACULTA, 2002: 116-121.

Peláez, Silvia. "Entrevista con Sabina Berman: La comedia como forma de vida". *Oficio de dramaturgo.* México: Editarte, 2002: 63-85.

Rojas, Mario A. "*Krisis* de Sabina Berman y el escenario político mexicano". *Tradición, modernidad y posmodernidad.* Ed. Osvaldo Pellettieri. Buenos Aires: Galerna, 1999: 119-134.

Taylor, Diana. "*La pistola* de Sabina Berman: ¿violencia doméstica o envidia del pene?" *Antología crítica del teatro breve hispanoamericano 1948-1993.* Ed. María Mercedes Jaramillo y Mario Yepes. Antioquia: Editorial Universidad de Antioquia, 1997: 60-65.

Vargas, Margarita. "*Entre Villa y una mujer desnuda* de Sabina Berman". *Revista de Literatura Mexicana Contemporánea* 2.4 (1996): 76-81.

Woodyard, George. "La historia dramática de Luis de Carvajal: perspectivas argentinas y mexicanas", en Osvaldo Pellettieri, ed. *El teatro y su crítica.* Buenos Aires: Galerna, Facultad de Filosofía y Letras (UBA), 1998: 105-112.

Zachman, Jennifer A. "El placer fugaz y el amor angustiado: metateatro, género y poder en *El suplicio del placer* de Sabina Berman y *Noches de amor efímero* de Paloma Pedrero". *Gestos* 16.31 (2001): 37-50.

3. Antonio Skármeta

Piezas

1984   *Ardiente paciencia*

Estudios

Addis, Mary K. and Mark A. Salfi, "Language and Power in *Ardiente paciencia.*" *Crítica* 2.2 (1990): 44-52.

Silva Cáceres, Raúl, ed. *Del cuerpo a las palabras: la narrativa de Antonio Skármeta.* Madrid: Literatura Americana Reunida, 1983.

Moody, Michael. "Entrevista con Antonio Skármeta". *Confluencia* 17.1 (Fall 2001): 104-111.

Woodyard, George. "Entrevista a Antonio Skármeta, dramaturgo chileno". *Chasqui* XIV.1 (nov 1984):

ÍNDICE

Este libro se terminó de imprimir
en el mes de marzo
del año 2003

En la fotocomposición
se utilizó Adobe Minion 10.5/12
en el programa WP5.1 de Corel